VOYAGEZ COOL!

Rose-Line Brasset

Trucs et conseils d'une *globe-trotter*

Conception et réalisation de la couverture:
Christian Campana - www.christiancampana.com
Illustration de la couverture: Shutterstock

Dépôt légal: 3e trimestre 2014
Bibliothèque et Archives nationales du Québec
Bibliothèque et Archives Canada

ISBN 978-2-89092-668-4

BÉLIVEAU
éditeur
920, rue Jean-Neveu
Longueuil (Québec) Canada J4G 2M1
450-679-1933/514-253-0403 Téléc. : 450-679-6648

www.beliveauediteur.com
admin@beliveauediteur.com

Gouvernement du Québec — Programme de crédit d'impôt pour l'édition de livres — Gestion SODEC — www.sodec.gouv.qc.ca.

Nous reconnaissons l'aide financière du gouvernement du Canada par l'entremise du Fonds du livre du Canada pour nos activités d'édition.

IMPRIMÉ AU CANADA

Je dédie ce livre à mes enfants,
Emmanuel et Laurence.
Puissiez-vous prendre plaisir
à faire le tour du monde,
comme votre grand-père
et moi en avons rêvé!

Table des matières

Introduction

Je voyage depuis l'âge de 17 ans. J'ai commencé, à l'époque, en faisant de l'auto-stop. C'était la fin des années 1970 et des tas de jeunes en faisaient autant. Ça ne se fait plus et je n'encourage pas ma fille ou mon fils à voyager de cette façon. Les temps changent! N'empêche que j'ai eu la piqure pour toujours. Il n'y a rien que j'aime autant que de voir se dérouler devant moi une nouvelle route, un nouveau bout de la planète. Il y a tellement à découvrir! Des paysages grandioses, des villes à couper le souffle, des villages d'une beauté inimaginable, des gens admirables, des populations attachantes. Mon seul regret est sans doute que je n'en ferai jamais le tour complet...

Depuis leur naissance, mes enfants ont voyagé avec moi. Mon fils d'abord, puis ma fille qu'il a tenue par la main. Les enfants sont de délicieux compagnons de voyage: curieux, enthousiastes et souples. Aujourd'hui, mon fils voyage seul, comme je l'ai fait avant lui, et je continue ma route avec sa sœur qui rêve de bientôt pouvoir, elle aussi, voler de ses propres ailes. Les voyages sont une merveilleuse école. Pour moi, il s'agit beaucoup plus d'un mode de vie que d'un simple divertissement et, depuis près de 20 ans déjà, je partage mes trucs avec les lecteurs des différents magazines auxquels je collabore.

Le monde du voyage n'est décidément plus ce qu'il était il y a à peine 10 ans. Nombre de voyageurs achètent et impriment dorénavant leurs billets d'avion dans le confort de leur foyer et partent à la dernière minute sans grande préparation. C'est à la fois formidable et un peu effarant. Un minimum de préparatifs demeure en effet indispensable pour profiter pleinement de son séjour à l'étranger, ne serait-ce que pour voyager en toute sécurité.

« Tu devrais rassembler tous tes trucs et conseils et en faire un livre, me conseillaient mes amis depuis plusieurs années déjà. Tu rendrais service à un tas de gens. » J'ai hésité longtemps, puis, réalisant que mes enfants pourraient également s'en servir, j'ai fini par m'y mettre.

Alors voilà, c'est chose faite. J'espère de tout cœur que cet ouvrage vous sera utile et je vous souhaite de prendre autant de plaisir à le lire que j'en ai eu à le rédiger. Cela dit, je vous souhaite surtout un bon voyage !

Choisir sa destination

Heureux qui, comme Ulysse,
a fait un beau voyage.

– Joachim Du Bellay,
extrait de *Les Regrets*

Vous en rêviez depuis longtemps, et voilà que votre décision est prise. Vous partez en voyage ! Pour une semaine ? Un mois ? Une année ? Formidable ! Mais pour éviter qu'un malheureux grain de sable ne vienne tout gâcher, sachez qu'un voyage, ça se prépare. Après tout, mieux vaut prévenir que guérir... Comment mettre toutes les chances de votre côté pour que l'aventure soit à la mesure de vos rêves ? Où trouver de l'information sur la destination de votre choix ? Auprès de qui acheter votre voyage ? Comment vous protéger des *pickpockets* ? Qu'est-ce qu'un forfait ? Est-il possible de choisir son aéroport ? Comment économiser sur le logement ? Pour obtenir toutes les réponses, suivez le guide...

En quête de repos ou d'aventure ?

Pour que le voyage soit à la hauteur de vos espérances, il faut d'abord clarifier vos attentes, voire identifier celles qui sont inconscientes. De combien de temps disposez-vous ? Quel genre d'expérience désirez-vous vivre ? Vous êtes épuisé et vous aspirez de toutes vos forces à un repos bien mérité dans un lieu exotique ? *A contrario*, vous souhaitez bouger, faire des rencontres inoubliables et découvrir une nouvelle culture ? Êtes-vous du genre hyperactif et sportif ou plutôt tranquille et amoureux de votre douillet confort ? Vous décririez-vous comme étant généralement stressé et inquiet, ou comme un adepte de l'imprévu et relax en toutes circonstances ? La perspective d'un voyage de groupe vous sourit ou vous rebute ? Préférez-vous les palaces ou les auberges de charme ? Préférez-vous tout planifier avant le départ ou partir à l'aventure ? Bien vous connaître et identifier vos préférences représente un avantage certain. Inutile de vous mentir, vous risqueriez d'être un voyageur malheureux. Si vous privilégiez un certain niveau de confort, il n'y a pas de honte à cela! Il vaut mieux vous respecter que de risquer de vous mettre dans une situation que vous pourriez regretter.

Clarifier ses attentes

Par ailleurs, certains partent parce qu'ils ont simplement besoin de changer d'air et de se reposer après une période de travail intensive et stressante, alors que d'autres recherchent réellement l'aventure avec un grand « A ». Les premiers auront avantage à choisir un forfait « tout inclus », alors que les seconds préféreront probablement partir avec leur seul billet d'avion et, à la rigueur, une réservation pour quelques nuits d'hôtel ou un contrat de location pour un appartement. Ils cherchent à sortir de leur zone de confort habituelle, à faire de nouvelles découvertes et n'aiment rien tant que de perdre leurs repères. Entre les deux, plusieurs formules sont évidemment possibles.

Et vous, où vous situez-vous ? De quels pays rêviez-vous, enfant ? Quelles sont vos activités favorites lorsque vous ne travaillez pas ? Êtes-vous prêt à vous consacrer à l'apprentissage d'une nouvelle langue ? (Hé non ! la planète ne s'est pas encore toute convertie à l'anglais.) Quels sont vos intérêts particuliers ? Vous intéressez-vous à l'art, à l'histoire, à la gastronomie ? Manger comme à la maison est-il important pour vous ? Le sport est-il une de vos passions ? Le soleil et la plage sont-ils des conditions *sine qua non* ? Appréciez-vous davantage les musées ? La présence ou non de grands magasins et de petites boutiques de mode à proximité de votre destination a-t-elle de l'importance ? Qu'attendez-vous exactement de votre voyage ?

Truc de pro

Pour m'aider à arrêter mon choix de destination, je couche mes attentes sur papier et je m'assure qu'elles sont réalistes en fonction du temps dont je dispose ainsi que de mon budget.

Le monde est à vous

L'Organisation des Nations Unies, ou ONU, reconnaît 193 États dans le monde. C'est dire à quel point il y a d'univers à découvrir et de gens à rencontrer ! Que vous rêviez d'une tournée des cinq continents ou que vous ayez seulement besoin d'un peu de dépaysement, notre petite planète bleue regorge de personnes attachantes et intéressantes, de lieux d'une beauté exceptionnelle et de choses extraordinaires à voir, à sentir, à toucher et à entendre. Quand avez-vous mis le doigt à l'aveuglette sur une mappemonde ou un globe terrestre la dernière fois, juste pour voir sur quel pays vous alliez tomber ? Ce jeu m'amusait beaucoup enfant et, plus tard, rien ne m'a apporté autant de satisfaction que de prendre l'avion pour aller vers de nouvelles aventures ! Ce qui me plaît surtout, c'est la perspective de rencontrer des gens nouveaux et de découvrir, petit à petit, comment ils vivent, quelles sont leurs valeurs, comment ils élèvent leurs enfants. Pour ce faire, les voyageurs de toutes catégories peuvent compter sur quelques milliers de compagnies aériennes.

Il paraît qu'un avion commercial décolle presque toutes les secondes, c'est-à-dire qu'il y aurait près de 30 millions de vols par an ou plus de 80 000 vols commerciaux chaque jour. On dit aussi que le nombre de voyageurs devrait atteindre 3,3 milliards en 2015. Je serai certainement de ceux-là ! Et vous ? Une chose est sûre, les voyages se sont grandement démocratisés et l'aventure est dorénavant accessible à tous, familles comprises.

Truc de pro

Histoire de nous amuser et de permettre un premier repérage, le site www.compagniesaeriennes.com répertorie quelques centaines de transporteurs classés par pays ou par ordre alphabétique.

Le site www.flightradar24.com permet de suivre en temps réel les avions du monde dans le ciel et le site fr.flightaware.com permet de suivre à la trace le vol d'un ami.

Enfin, l'adresse qui suit comblera les amoureux de statistiques: www.planetoscope.com/Avion/109-nombre-de-vols-d-avions-dans-le-monde.html.

Se renseigner adéquatement

C'est maintenant le moment de partir à la chasse aux informations. Le rayon «voyage» de votre librairie préférée, ainsi que celui de votre kiosque à journaux, devraient être vos premières destinations. Vous y trouverez une foule de magazines et de guides pratiques conçus en fonction de vos champs d'intérêt et de votre profil de voyageur. Les principaux journaux quotidiens proposent également des articles sur les voyages, en particulier dans leur édition de la fin de semaine. La bibliothèque municipale de votre quartier n'est pas à négliger non plus. Il existe autant de bouquins et de magazines sur les voyages qu'il existe de destinations. Que vous souhaitiez sillonner les canaux européens en péniche ou parcourir l'Amérique du Sud en auto-stop, explorer la Grande-Bretagne en voiture de location, suivre le chemin de Compostelle, ou simplement fureter chez les antiquaires de Rome, Bruxelles ou Buenos Aires, il y a une publication qui s'adresse à vous. Profitez-en !

Cherchez aussi sur Internet et parlez de votre projet autour de vous. Consultez des forums de discussion, parcourez des blogues spécialisés et échangez avec des amis ou des connaissances qui ont visité les lieux qui vous intéressent. Enfin, n'hésitez pas à visiter une agence de voyages pour poser quelques questions et demander les brochures de différents grossistes. On n'est jamais trop informé et, en tant que spécialiste, un agent de voyages d'expérience est une source privilégiée de renseignements.

Truc de pro

Passer un après-midi entier à fureter dans une librairie ou une bibliothèque pour préparer un voyage ou pour chercher l'inspiration concernant sa prochaine destination, c'est le début du bonheur !

Réserver son vol

Les voyages, ça sert surtout à embêter
les autres une fois qu'on est revenu!

– Sacha GUITRY,
extrait de *Le petit carnet rouge*

Vous avez de plus en plus envie de partir? C'est le moment de commencer à magasiner. Dans ce chapitre, vous apprendrez plusieurs trucs afin d'en obtenir pour votre argent au moment d'acheter vos billets d'avion. On le sait, l'argent ne pousse pas dans les arbres! Autant tirer le maximum de votre budget de voyage. Vous serez heureux qu'il en reste dans vos poches au moment d'acheter des petits souvenirs à rapporter à vos enfants, votre belle-mère, votre beau-frère, vos voisins, vos collègues, et j'en passe...

Cinq conseils pratiques pour payer moins cher

Vous ne voulez évidemment pas voir votre budget rongé aux trois quarts par le prix du billet d'avion... Si vous êtes souple quant à vos dates de départ, vous êtes susceptibles d'économiser gros. Voici cinq judicieux conseils:

1. Achetez tôt. La croyance populaire voulant que les prix de dernière minute soient les meilleurs n'est plus d'actualité pour la simple et bonne raison que, la plupart du temps, la demande excède l'offre et que les vols à moitié pleins sont chose du passé. Les aubaines de dernière minute sont dorénavant l'apanage des forfaits et des vols nolisés, pas des vols réguliers.

2. De façon générale, fuir les «hautes saisons» est le mot d'ordre pour économiser. Le temps des fêtes, la semaine de relâche scolaire, les mois de juillet et août: tout le monde veut partir en même temps et les prix montent d'autant. C'est normal. Avril et novembre sont

souvent les meilleurs mois pour partir, mais pas exclusivement. Si vous avez le temps, examinez les fluctuations en fonction de votre destination en particulier. Économiser, c'est bien, mais profiter de son voyage, c'est mieux. Un billet d'avion vers Delhi vous coûtera moins cher pendant la saison des pluies, mais l'humidité ambiante vous sera peut-être difficile à supporter... Enfin, partir et revenir en milieu de semaine est généralement plus économique que de voyager les fins de semaine.

3. Si vous devez absolument être à Paris ou à Los Angeles pour Pâques ou pendant le temps des fêtes, sachez qu'il coûte habituellement moins cher de partir lors d'un jour férié que la veille ou le lendemain. Pourquoi ? Parce que personne n'a réellement envie de passer le jour de Noël dans un aéroport ou un avion. Si cela vous importe peu, vous êtes gagnant !

4. Afin de demeurer à l'affût des promotions ou des soldes, abonnez-vous aux infolettres des grossistes et des transporteurs aériens.

5. Les principaux grossistes qui offrent des forfaits vacances au départ des aéroports du Québec offrent généralement aussi l'option « vols seulement » vers les destinations qu'ils desservent. Les prix de ces vols nolisés peuvent être avantageux s'ils desservent votre destination. Prenez le temps de vérifier !

Truc de pro

Lorsque j'ai déterminé la période qui m'intéresse et que j'ai arrêté ma destination, j'utilise Google Flight pour repérer le billet le moins cher. Pour ce faire, c'est tout simple, il suffit de taper www.google.ca/flights. Une fois sur le site de ce moteur de recherche, je tape les dates approximatives désirées ainsi que le lieu de départ et le lieu d'arrivée. D'une simplicité désarmante, Google me présente automatiquement les meilleures options disponibles. Je fais plusieurs essais en changeant simplement les dates pour comparer.

Quand c'est possible, je choisis les meilleurs !

Parcourir des milliers de kilomètres en quelques heures ? Quel privilège extraordinaire ! Bien que cela fasse déjà plusieurs années, j'ai encore bien en mémoire l'extase de mes premières envolées. Ah ! le bonheur d'être enfin arrachée à la gravité et d'admirer le monde de haut, comme le font les oiseaux ! Depuis l'exploit, en 1903, des frères Orville et Wilbur Wright, les deux célèbres pionniers américains de l'aviation, les êtres humains sont de plus en plus nombreux chaque année à transiter d'un bout à l'autre de notre planète qui, de gigantesque qu'elle semblait être au début du siècle dernier, nous semble aujourd'hui toute petite. Réputé sûr, le vol en avion s'est hautement démocratisé, notamment en raison du fait que le prix des billets n'a à peu près pas augmenté ces trente dernières années.

Par contre, l'expérience elle-même ressemble davantage aujourd'hui à une épreuve d'endurance qu'à un moment privilégié, et c'est bien dommage. Ce qui a par exemple beaucoup changé, ce sont les services en vol... Misère ! Dans nos avions bondés, il y a de moins en moins de place pour les jambes et il faut se tenir les coudes de plus en plus près du corps. Et c'est sans compter que les repas gratuits ne sont souvent plus qu'un souvenir et que la gentillesse des agents de bord est dorénavant facultative !

Heureusement, il y a des exceptions. En matière de luxe et de qualité de service à la clientèle, les meilleurs transporteurs aériens sont habituellement asiatiques ou moyen-orientaux, mais sachez qu'Air Canada s'en sort très honorablement. En 2013, pour la quatrième année consécutive, le transporteur canadien a en effet été proclamé meilleure compagnie d'Amérique du Nord au classement réalisé par Skytrak. Voilà qui n'est pas rien !

Qu'est-ce que Skytrak ? Il s'agit d'un organisme de consultation international basé à Londres, au Royaume-Uni, et qui effectue diverses recherches pour les compagnies aériennes, dont la tenue de statistiques sur les voyages internationaux. L'organisation est surtout connue pour son fameux classement annuel des meilleurs transporteurs aériens du monde. En 2013, c'est Emirates qui a pris la tête du classement. La compagnie basée à Dubaï a réussi à détrôner sa rivale, Qatar Airways, qui trônait en tête du classement depuis quelques années. Pour obtenir ce classement, Skytrax a compilé les résultats d'un sondage réalisé auprès de 18 millions de clients en provenance de 60 pays. Ce sondage vise à mesurer le degré de satisfaction des voyageurs concernant l'enregistrement des bagages, l'embarquement, le confort à bord, la propreté des cabines, l'affabilité du personnel, les repas et les divertissements à bord. Toujours en 2013, Air Canada occupait la vingtième place du classement mondial alors que 200 compagnies aériennes étaient évaluées.

Truc de pro

À prix équivalent, je préfère Air Canada à un transporteur américain, non seulement pour la qualité des services à bord, mais aussi pour la perspective d'être servie en français.

Des forfaits pour tous les goûts

Si vous en êtes à vos premières armes en matière de voyage, je vous conseille de commencer en achetant un forfait « tout inclus ». Certains voyages de groupe pourraient aussi vous convenir, notamment si vous souhaitez visiter l'Europe ou l'Asie. Les prix de ces derniers comprennent habituellement le transport, l'hébergement, les petits-déjeuners et les loisirs. Les repas du midi et du soir sont parfois compris dans la proposition. Faites-vous conseiller par un agent de voyages compétent.

Le principal avantage du forfait réside dans le prix global proposé. En achetant à la fois le vol, l'hôtel et les repas, par exemple, vous payez souvent moins cher que si vous aviez à payer chacun de ces éléments séparément, tout en choisissant les dates de votre voyage et le lieu de votre séjour.

Le second avantage concerne la prise en charge de vos vacances. Vous n'avez à vous soucier de rien. Vous êtes pris en charge dès votre arrivée à destination et vos vacances se déroulent sans surprises, dans les meilleures conditions possibles. Je recommande généralement les forfaits aux personnes d'un certain âge ainsi qu'aux familles à qui ils garantissent encadrement et paix d'esprit.

Quant aux inconvénients, ils logent à la même enseigne que les avantages, c'est-à-dire dans le fait que tout est réglé d'avance et que lorsque quelque chose nous déplaît, comme le choix de restaurants offert, par exemple, il faut généralement prendre son mal en patience jusqu'au retour.

Il existe une innombrable variété de forfaits sur le marché : vacances au soleil, voyages de ski, croisières, circuits thématiques en groupe, et j'en passe. Les circuits thématiques ont ceci de particulier que le voyage se déroule en groupe et que celui-ci se déplace pendant toute la durée du voyage. Le principal avantage réside dans le fait qu'ils regroupent généralement des gens ayant des intérêts communs. Si cette formule vous agrée, il se noue parfois de solides amitiés parmi les participants à ce type de voyages.

Truc de pro

Les sites Internet des principaux voyagistes proposent tous une section consacrée aux rabais de dernière minute sur les forfaits. Je prends régulièrement le temps de jeter un œil aux offres de Vacances Transat, Nolitours, Sunwing, Vacances Tours Mont-Royal, Vacances Air Canada, etc.

Acheter sur Internet ou auprès d'un agent de voyages?

Les consommateurs achètent de plus en plus sur le Web, c'est un fait. Le monde du voyage ne fait pas exception et nous sommes plusieurs à acheter nos billets d'avion, à réserver nos nuits d'hôtel et à louer nos véhicules en ligne. La croyance populaire qui veut que ce soit moins cher sur Internet ne se vérifie cependant pas toujours. Dans le cas des sites spécialisés dans la vente au rabais de nuitées d'hôtel, c'est possible, mais pour ce qui est de la location d'une voiture ou de l'achat d'un billet d'avion, je suis plus sceptique. Lorsqu'il s'agit de l'achat d'un forfait « tout inclus », la réduction est rarement supérieure à 20 $ par couple.

Pour être franche, le seul avantage avéré demeure de pouvoir acheter dans le confort de son foyer. Quant à la possibilité de bénéficier d'un « deal » d'enfer à minuit moins quart, au moment où vous êtes fin prêt à succomber à la tentation et alors que le prix n'est appelé à demeurer bas que quelques heures, sachez que ce type de « gros lot » est somme toute encore assez rare. Encore faut-il que la date du départ proposée vous convienne ! Si toutes vos conditions sont remplies et que la date et le prix sont à la mesure de ce que vous attendiez, profitez-en, c'est votre jour de chance ! Sinon, sachez qu'un agent de voyages a accès à des réseaux auprès desquels monsieur et madame Tout-le-monde ne peuvent acheter. Si vous avez le temps, commencez donc par faire un premier repérage sur Internet des vols qui vous intéressent, imprimez les détails, puis allez voir un agent d'expérience et voyez ce qu'il peut faire pour vous !

Au Québec, on estime que plus de la moitié des agences de voyages ont disparu entre 1996 et 2006. C'est bien dommage puisque, même si les ressources en ligne sont multiples, un bon agent représente une valeur ajoutée. Ce dernier demeure en effet un conseiller de choix lorsque vient le moment de réserver les divers éléments d'un voyage dont la valeur totale est de plusieurs milliers de dollars.

Il est aussi souvent plus simple et plus rapide de laisser travailler un spécialiste plutôt que de passer des heures à fureter sur Internet sans trop savoir à qui on a affaire, en particulier quand notre itinéraire n'est pas simple ou que nos besoins sont particuliers. Arriver dans une ville, stopper en route et revenir à la maison en provenance d'une troisième ville, par exemple, sera difficile à réserver en ligne. Pour un agent de voyages, ce type de casse-tête chinois fait partie du quotidien. À chacun son métier !

Par ailleurs, c'est sans contredit au niveau du contact humain que se trouve le principal gain. Une conversation avec une personne en chair et en os plutôt qu'une froide relation avec un simple logiciel est certes plus apte à calmer vos angoisses existentielles, en particulier si vous voyagez peu. Dans certains cas, l'agent de voyages pourra même faire jouer ses contacts pour vous obtenir la meilleure chambre disponible dans l'hôtel de votre choix ou, à tout le moins, partager avec vous sa propre expérience puisque les professionnels du métier ont accès à des voyages de « familiarisation » à bas prix. J'en connais qui arrivent à obtenir un surclassement à leurs meilleurs clients, sans frais supplémentaires. Qui dit mieux ? Internet ne peut certainement pas en faire autant... À vous de voir !

Truc de pro

À moins que ma destination ne soit desservie que par des vols nolisés à tarifs concurrentiels, je sais que le prix d'un billet d'avion est de plus en plus tributaire du nombre d'arrêts que je suis disposée à faire. Plus il y a d'étapes ou de transferts prévus en cours de route, plus le prix sera bas.

Le Fonds d'indemnisation des clients des agents de voyages

Le Fonds d'indemnisation des clients des agents de voyages est une sorte « d'assurance-groupe » administrée par l'Office de la protection du consommateur. Il s'agit essentiellement d'une protection financière. Vous en bénéficiez lorsque vous achetez des services par l'entremise d'un agent de voyages dûment titulaire d'un permis du Québec.

Sachez que, lorsque vous réservez auprès d'un site Internet ou d'une agence qui ne détient pas ce permis, votre transaction n'est pas couverte par ce fonds. Cela signifie qu'en cas de faillite de votre fournisseur de services, vous pourriez vous retrouver dans l'impossibilité d'être indemnisé. De plus, si vous êtes déjà à destination au moment où le problème se pose, vous êtes susceptible de devoir vous débrouiller par vos propres moyens pour rentrer. À lui seul, il s'agit d'un renseignement susceptible de faire pencher la balance en faveur des agences de voyages reconnues. C'est un pensez-y-bien!

L'Office de la protection du consommateur rembourse normalement toutes les sommes payées, à moins que l'événement qui vous a empêché de recevoir les services ne touche un trop grand nombre de personnes... Le montant remboursé risque alors d'être inférieur à celui payé.

Ce fonds ne rembourse toutefois pas les biens ou services « non touristiques ». C'est le cas d'une assurance voyage que vous auriez achetée par l'intermédiaire de votre agent, par exemple. L'Office ne couvre pas non plus les dommages non pécuniaires, comme la perte de une ou plusieurs journées de vacances ou la perte de salaire causée par un vol annulé.

Enfin, si vous avez fait affaire directement avec le grossiste sans passer par un agent de voyages, le fonds ne vous protège pas, même s'il s'agit d'une entreprise touristique québécoise.

Truc de pro

Pas de panique! Chaque jour, des milliers de gens réservent le voyage de leur rêve par le biais d'un agent de voyages ou par l'intermédiaire d'Internet et voyagent sans encombre. Quelle que soit l'option qui me facilite le mieux la vie, je ne m'inquiète pas inutilement. Je m'assure cependant de faire affaire avec une agence ou un site Internet bien connus.

Choisir son aéroport

Saviez-vous que ces dernières années plus de cinq millions de Canadiens ont choisi de prendre l'avion d'un aéroport américain plutôt que canadien? La raison en est simple: nous payons trop souvent nos billets le double de ce qu'il en coûte au départ des États-Unis... Aberrant mais vrai! Pourquoi? Parce que les aéroports canadiens imposent aux compagnies aériennes des frais souvent beaucoup plus élevés que ne le font les aéroports étrangers. Le coût du carburant ainsi que les taxes entrent évidemment aussi en ligne de compte, ainsi que d'autres contingences qui dépassent souvent l'entendement.

Je me suis livrée récemment à un petit exercice avec en tête un voyage à destination de la Floride, pour une semaine. Au départ de Québec, un billet aller-retour vers Fort Lauderdale m'aurait coûté 367 $ avec Air Transat (ou 386 $ avec West Jet). Au départ de Montréal, le billet le plus économique coûtait déjà 65 $ de moins, soit 302 $, cette fois-ci avec West Jet. Enfin, au départ de Plattsburgh, le billet ne coûtait plus que 176 $, avec Spirit Airlines. Il s'agit d'une économie possible de 191 $. Vous avouerez que ça porte à réfléchir ! J'ai fait le même exercice pour un départ vers Las Vegas. Au départ de Québec, le billet était offert au prix de 439 $ contre 388 $ au départ de Montréal et, tenez-vous bien, 158 $ à partir de Plattsburgh. Je vous laisse aller vérifier le coût d'un billet au départ de l'aéroport de Burlington…

En attendant que le gouvernement fédéral prenne les mesures qui s'imposent, il est indéniablement avantageux de comparer les prix et les différents paramètres qui entrent en ligne de compte avant de fixer son choix. Dans certains cas, il vaut mieux s'organiser plutôt que se faire organiser! La règle d'or: avoir l'esprit ouvert et MA-GA-SI-NER.

Truc de pro

Tous les aéroports n'hébergent pas les mêmes compagnies aériennes. C'est une évidence, mais il n'est pas mauvais de se le rappeler. Avant de porter définitivement mon choix sur un transporteur ou un aéroport, je fais le tour des diverses possibilités et je glane le plus de renseignements possible.

Plus on est de fous plus on rit!

Plusieurs facteurs sont évidemment à considérer avant d'arrêter votre choix, dont le temps et le coût du transport vers l'aéroport, mais aussi le nombre de personnes qui voyagent avec vous. Histoire de faire un choix éclairé, sachez qu'il y a 350 kilomètres entre Québec et l'aéroport de Plattsburgh (397 kilomètres pour l'aéroport de Burlington) et qu'il faut compter environ quatre heures à quatre heures et demie pour s'y rendre. (Il faut en effet tenir compte du temps passé à la frontière.) De Montréal, comptez un peu plus d'une heure de trajet pour environ 100 kilomètres. Enfin, le stationnement coûte entre 5 $ et 7 $ par jour à l'aéroport de Plattsburgh, contre 15 $ par jour à Québec et Montréal. Avouez que la différence n'est pas anodine. Si vous voyagez seul, la différence de prix ne vous fera peut-être pas sourciller, compte tenu des désavantages, mais si votre bien-aimé(e), la marmaille et le beau-frère vous accompagnent, c'est un « pensez-y bien » !

Truc de pro

Pour ceux que ça intéresse, l'aéroport international de Plattsburgh offre une version française de son site Web: www.flyplattsburgh.com/Francais. Même chose du côté de l'aéroport international de Burlington: www.btv.aero/index.php/welcome-canadians.

Quand c'est possible, je choisis les meilleurs! (Bis)

Comme pour les transporteurs aériens, il existe un classement des meilleurs aéroports du monde, en termes de services aux usagers. Ce classement est effectué par l'ACI (Airports Council International ou Conseil international des aéroports), une association sans but lucratif fondée en 1991 et dont le siège social est récemment déménagé de Genève à Montréal.

Ses principales préoccupations sont l'amélioration des infrastructures aéroportuaires, la sécurité et la promotion de l'excellence professionnelle dans la gestion et l'exploitation des aéroports. Elle compte environ 573 membres gérant plus de 1 600 aéroports.

Les aéroports sont jugés par continents ou en fonction de leur taille. En Amérique du Nord, en 2014, les aéroports ayant un achalandage de plus de deux millions passagers par année et jugés les meilleurs par les usagers sont :

1. Indianapolis
2. Ottawa
3. Tampa
4. Sacramento
5. Jacksonville

En ce qui concerne les aéroports de petite taille, sachez que le premier rang au classement en Amérique du Nord va à l'aéroport Jean-Lesage, situé dans la belle région de Québec. Absolument ! Quant au classement par taille, les aéroports remportant les honneurs sont tous situés en Asie. Comme quoi on a encore du chemin à faire en Occident ! Pour en savoir plus sur l'ACI et ce classement, jetez donc un coup d'œil à l'adresse : *www.aci.aero.*

Se loger

Je réponds ordinairement à ceux qui
me demandent la raison de mes voyages :
que je sais bien ce que je fuis,
et non pas ce que je cherche.

– MONTAIGNE,
extrait des *Essais*

À moins d'avoir choisi un forfait incluant l'hôtel, ou d'avoir la chance d'être reçu par de la famille ou des amis à destination, il faut aussi penser à vous loger. Encore une fois, assurez-vous d'abord d'évaluer vos besoins et vos moyens avec réalisme. En matière de logement, les options sont multiples et il y en a pour toutes les bourses. Certaines options sont mieux adaptées à un voyage en solitaire ou en couple, d'autres répondront sur mesure aux besoins d'une famille. Voyons voir !

Le logement de vos rêves

Que vous préfériez une petite auberge sympathique ou que vous ayez l'habitude de descendre dans des appartements ou de grands hôtels, les outils de recherche pour trouver à vous loger sont les mêmes. Il y a toujours les valeurs sûres que sont les grandes chaînes hôtelières. On aime ou pas. Il faut dire que le principal avantage demeure le fait de n'être jamais dépaysé nulle part.

Personnellement, je préfère un peu de couleur locale. J'ai donc l'habitude d'effectuer d'abord un premier repérage à l'aide des guides de voyage disponibles sur l'endroit qui m'intéresse. Vous en trouverez en librairie, bien sûr, mais également auprès des offices de tourisme du pays hôte ainsi que sur Internet. C'est en feuilletant mon guide de San Francisco et en visitant le site Internet de l'office du tourisme de la ville, par exemple, que je me fais une idée concernant les prix pratiqués dans cette ville et les types de logements à la disposition des voyageurs. Je lis la description de quelques établissements et je prends en note les coordonnées de ceux qui attirent particulièrement mon attention par leur situation géographique ou leurs particularités. Aller sur le site Internet de ces gîtes, auberges, appartements ou hôtels pour les examiner de plus près est ensuite un jeu d'enfant.

Ce premier devoir complété, je me rends ensuite sur le site de TripAdvisor Canada, *www.tripadvisor.ca,* pour lire les commentaires des voyageurs à propos des établissements qui ont retenu mon attention. En règle générale, on y trouve également des photos prises par des gens comme vous et moi. Rien de mieux pour donner l'heure juste quant à l'allure des chambres et la propreté des lieux !

Truc de pro

TripAdvisor se définit comme « la plus grande communauté de voyage au monde ». J'y trouve des photos, de l'information, des avis et des critiques en provenance de millions de voyageurs. Un hôtel a un problème de punaises de lit ? La nouvelle se répand rapidement ! Il se publie en moyenne 80 nouveaux commentaires par minute sur le site.

Aller à l'hôtel sans se ruiner

Mes premiers repérages effectués, j'arrête mon choix sur un ou deux petits hôtels de charme de catégorie moyenne. Après tout, je ne passe pas mes journées dans ma chambre. Il m'importe surtout que celle-ci soit calme et propre. Si vous avez à travailler dans la vôtre, vous préférerez qu'elle soit assez grande pour contenir un secrétaire et, surtout, qu'elle bénéficie d'un éclairage adéquat.

Après avoir vérifié les prix habituels, je vais voir si les hôtels repérés sont disponibles sur les sites de réservations à rabais. Comme j'aime bien en avoir pour mon argent, je commence avec les deux hôtels qui ont attiré mon attention, mais je ne m'y limite pas nécessairement. Les commentaires glanés sur Trip-Advisor concernant d'autres établissements peuvent aussi orienter mes recherches. Cela dit en passant, mes sites de réservation préférés sont *Hotels.com* et *Expedia.ca.* Toutefois, je ne tiens pas à leur faire une publicité particulière puisqu'il existe une multitude d'autres sites du même genre. Jetez également un œil sur *Trivago.com*, le site qui permet de comparer les prix d'une même chambre sur différents sites de vente au rabais.

Truc de pro

Sur le site de réservation que je choisis pour sa convivialité et la variété des choix qu'il propose, je m'assure que les transactions en ligne sont correctement sécurisées.

Choisir une auberge de jeunesse

Dans la plupart des grandes villes nord-américaines et européennes, les auberges de jeunesse offrent une solution bon marché. Oubliez vos mauvais souvenirs de dortoirs bruyants des années 1980; ce type d'établissement s'est lui aussi modernisé et la majorité offre dorénavant des chambres individuelles en plus d'accueillir une clientèle de tous les âges, y compris des familles. Avant de réserver, prenez par contre le temps de comparer les prix. Pour certaines destinations, louer une chambre individuelle revient moins cher dans un petit hôtel sympathique que dans une auberge de jeunesse. Par contre, celle-ci peut s'avérer un bon choix quand on souffre de solitude. L'atmosphère y est conviviale et il y a de fortes chances que vous y fassiez la rencontre d'autres gens voyageant seuls.

Truc de pro

Pour réserver ou pour me faire une idée de l'offre en matière d'auberges de jeunesse, je tape l'adresse aubergejeunesse.net.

Loger chez l'habitant

Lorsque c'est possible, et si le cœur vous en dit, être hébergé dans une famille est sans doute la façon la plus efficace d'apprivoiser une nouvelle culture, de découvrir votre pays d'accueil « de l'intérieur » et de sentir l'âme de ses habitants. Il peut s'agir d'une expérience plus ou moins concluante au niveau du confort, mais elle sera toujours enrichissante sur le plan personnel. Il n'y a rien qui me passionne autant que d'apprendre à connaître les us et coutumes en pratique au sein d'une famille d'accueil ! C'est également l'occasion de goûter des spécialités gastronomiques toute particulières et d'en apprendre plus sur les valeurs locales.

Truc de pro

J'ai l'esprit ouvert et curieux et je cherche à m'enrichir sur le plan humain en embrassant d'autres cultures. J'adore particulièrement découvrir de nouvelles façons de faire (et je ne parle pas de découvrir de nouvelles façons de magasiner là…). À Rome, c'est l'occasion ou jamais de vivre comme les Romains !

Essayer Airbnb

Fondée en 2008 et basée à San Francisco, *Airbnb* est une plate-forme communautaire qui permet à des particuliers de proposer en ligne, contre rémunération, une chambre ou un logement vacant à des voyageurs de passage. Qu'il s'agisse d'un appartement pour une nuit, d'un château pour une semaine ou d'une maison pour un mois, Airbnd a ce qu'il vous faut. La communauté Airbnd compte des millions d'utilisateurs qui sont répartis dans 34 000 villes (192 pays) à travers le monde, et ces chiffres ne cessent de croître.

Une véritable petite révolution

Cette « nouvelle » façon de se loger a toujours existé. C'est le fait qu'une plate-forme en ligne conviviale et sécuritaire serve d'intermédiaire et rende les contacts plus faciles qui constitue la révolution. Comme le fait TripAdvisor avec les chambres d'hôtel, les commentaires des voyageurs qui ont récemment logé dans les lieux qui vous intéressent sont accessibles et permettent de faire des choix plus éclairés.

Les voyageurs paient via Airbnb au moment de la réservation du logement. Airbnb reverse ce paiement aux hôtes, 24 heures après l'arrivée des voyageurs sur les lieux et gère toutes les transactions. Mais ce qui constitue l'avantage principal de ce type d'hébergement, c'est qu'il permet de visiter des quartiers et des commerces situés à l'extérieur des circuits traditionnels, que vous visitiez Mexico, Tokyo, New York ou Paris. Vos hôtes seront aussi très souvent des guides touristiques de choix!

Truc de pro

J'envisage de louer une chambre chez l'habitant surtout lorsque je visite une ville pour la deuxième fois et que je souhaite approfondir mon expérience ou si je veux sortir des sentiers touristiques plus commerciaux. Pour me faire une idée de l'offre, je visite fr.airbnb.ca.

Choisir le couchsurfing

D'aucuns connaissent déjà les échanges de logement, c'est-à-dire la formule qui consiste à échanger sa maison ou son appartement contre celui d'autres personnes à l'étranger pour voyager à moindre coût. C'est l'idéal quand on voyage à plusieurs. Cependant, un autre mouvement prend lui aussi de l'expansion depuis quelques années et s'adresse cette fois aux gens voyageant seuls ou en couple et pour qui la qualité d'une rencontre surpasse les exigences en matière de confort. Connaissez-vous le « couch-surfing » ? Comme son nom l'indique, il s'agit de surfer d'un canapé à un autre... Explications.

Une idée qui vient des États-Unis

Imaginez un réseau social de quelques millions de personnes prêtes à s'offrir gracieusement l'hospitalité les unes les autres pour une nuit ou plus ! Quelqu'un aux États-Unis en a rêvé et a organisé ce réseau. C'est ainsi qu'est né le *couchsurfing* qui permet à ses adeptes de se loger gratuitement au moins une nuit chez de parfaits inconnus et, surtout, de partager un bout de leur quotidien. Voilà une bien agréable façon de faire connaissance avec des habitants du pays visité !

La beauté de la chose, c'est que l'idée a provoqué un tel engouement que le mouvement a rapidement pris de l'ampleur et n'a déjà presque plus de frontières. Le principal site du genre, *couchsurfing.com*, compte plus de 3 millions de membres dans 250 pays ! Incroyable non ? Ça fonctionne plutôt bien, en fait. On rapporte peu de mésaventures chez les *couch-surfers* et les jeunes raffolent de la formule.

Comment ça marche ?

Le principe est simple: on s'inscrit sur un site d'échange d'hospitalité et on se lance ! L'inscription est gratuite le plus souvent. On doit évidemment préciser si on souhaite héberger des *couchsurfeurs*, être hébergé ou les deux.

Fait intéressant et bon à savoir, le couchsurfing ne repose pas nécessairement sur la réciprocité. On peut donc demander l'hospitalité chez un habitant du pays qu'on souhaite visiter sans devoir pour autant recevoir à son tour des voyageurs chez soi. On est évidemment encouragés à le faire mais, dans le cas contraire, personne ne trouvera à redire. Pratique quand on vit chez ses parents ou qu'on a pris la poudre d'escampette en laissant derrière soi un amoureux (ou une amoureuse et nos sept enfants)...

Une fois sur place, vous êtes logé gratuitement, mais le seul engagement de votre hôte consiste à vous offrir au minimum un canapé et un oreiller. Évidemment, ça demande un peu de souplesse de votre part. Il faudra vous adapter à ce que vous trouverez. Justement, les *couchsurfers* trouvent souvent aussi un repas du soir ou un petit-déjeuner, une douillette couverture et beaucoup de gentillesse et d'intérêt pour leur petite personne. Que demander d'autre ?

Minimiser les risques de problèmes

Les filles voyageant seules doivent tout de même faire attention (et même les garçons, pas de discrimination), dois-je le mentionner ? J'aborderai la question de façon plus élaborée au chapitre 6, mais ça ne coûte rien de me répéter… On ne badine pas avec les questions de précautions élémentaires. Tenez toujours un proche au courant de vos déplacements et des adresses où vous passez la nuit, et si votre intuition vous dit de détaler comme un lapin, prenez vos jambes à votre cou et quittez les lieux. Voilà qui est dit !

Dans le cas contraire, la plus sommaire des politesses veut que vous manifestiez votre gratitude en offrant à votre hôte un petit cadeau en guise de remerciement (une bouteille de vin, quelques fleurs, des bonbons, un pot de confiture, vous voyez le genre...). Rien d'extravagant évidemment. C'est l'intention qui compte ! À votre arrivée, parlez clairement de votre programme et demandez toutes les instructions concernant la maison ou l'appartement. Soyez attentif et respectueux; en partant, laissez l'endroit comme vous l'avez trouvé ou plus propre encore. Enfin, partagez ensuite vos impressions sur les forums de discussion et rapportez toute mésaventure. C'est important !

Truc de pro

L'adresse du site de couchsurfing le plus populaire est www.couchsurfing.com. Que l'option m'intéresse ou pas, je jette un œil, ne serait-ce que pour ma culture personnelle. ;)

4
Échanger son chez-soi

L'échange de résidences comme moyen de voyager à l'étranger compte de plus en plus d'adeptes à travers le monde, et les Québécois s'y adonnent, eux aussi, de plus en plus.

Nous sommes des milliers à voyager ainsi chaque année ! La formule sourit aux voyageurs de tous âges, soucieux d'économiser. C'est définitivement un incontournable lorsque l'on souhaite séjourner plus d'une semaine au même endroit. C'est également une option de choix lorsque l'on souhaite emmener toute sa tribu, de la grand-mère au petit dernier, sans vouloir renoncer au confort d'un véritable foyer. Ça vous intéresse ?

Mode d'emploi

L'idée est d'une désarmante simplicité. Vous occupez une maison tout équipée dans le pays dont vous rêvez pendant que les propriétaires de votre palace d'emprunt séjournent chez vous.

Chalet, voitures, bateaux, vélos, trottinettes et équipements sportifs peuvent également faire partie de l'échange. Total des frais d'hébergement : 0 $. Les agences qui proposent ce type d'échange se trouvent sur Internet. Les frais d'inscription oscillent généralement entre 0 $ à 150 $, bien que le choix du site qui vous convient soit surtout en fonction de vos goûts et préférences.

La pratique d'échanger sa maison date des années 1950 alors qu'elle était surtout en vogue chez les enseignants désireux de vivre une expérience de travail outre-mer. On correspondait par lettres, on fournissait des références et on échangeait continent, emploi, voiture et maison, la plupart du temps pour un an. L'idée a fait son chemin et aujourd'hui, grâce à Internet, des centaines de milliers de personnes autour du globe échangent chaque année une partie de leur quotidien avec celui de gens avec qui ils ont préalablement échangé le nombre de courriels nécessaires à la création d'une relation de confiance.

L'aventure est alléchante en ce qu'elle permet de goûter réellement à la vie qu'on mène aux États-Unis, en Europe ou ailleurs, pour une fraction du prix qu'exigerait autrement une telle expérience.

Identifier ses besoins avec précision

Pour un échange réussi, il est essentiel de bien cerner vos besoins, vos désirs et... vos limites. Souhaitez-vous résider dans un grand centre ou préférez-vous le charme pittoresque des petits villages? Vous accommoderiez-vous d'une ville de banlieue? Troqueriez-vous votre grande maison unifamiliale contre un appartement? Vous contenteriez-vous d'un simple balcon ou pencheriez-vous nettement en faveur d'une piscine? Est-il important pour vous que la maison échangée soit d'une valeur équivalente à la vôtre? Combien de kilomètres êtes-vous prêt à parcourir pour vous rendre à la mer ou au supermarché? À quels types d'activités souhaitez-vous exactement vous adonner? Seriez-vous prêt à échanger avec une famille comptant de jeunes enfants ou voyageant à quatre ou six en plus d'un animal domestique? Accepteriez-vous que l'on fume chez vous ou que l'on utilise votre ordinateur? Êtes-vous disposé à offrir l'utilisation de votre automobile, votre canot, votre véhicule récréatif?

Répondez honnêtement à toutes les questions précédentes avant d'aller plus loin. Au moment de rédiger votre demande d'échange, n'hésitez pas à être très clair sur ce que vous recherchez : environnement, taille de la maison, voisinage, commodités. Soignez également la présentation de ce que vous avez à offrir. Mettez par écrit tous les détails que vous aimeriez vous-même connaître.

Truc de pro

Au moment de rédiger la description de ma maison, je mets autant de soin à la photographier et à la décrire que si j'étais un courtier immobilier décidé à la vendre, mais je demeure scrupuleusement honnête et j'évite l'exagération!

La confiance et le respect, piliers de l'échange de maison

Les gens qui séjournent chez vous ont tout avantage à prendre soin de votre demeure puisque, en contrepartie, vous occupez la leur. Eux aussi ont des craintes, c'est bien compréhensible et cela constitue un atout.

Pas la peine de mettre tous vos biens sous clé ! On n'a jamais vu des touristes tenter d'embarquer une télé de 50 pouces (127 cm) à bord d'un avion, votre faux buste de Beethoven pèse sans doute une tonne, et vos photos et papiers personnels n'intéressent que vous. Quant à vos livres, vos CD et vos DVD, à vous de voir, mais ne devenez pas parano.

Un truc qui fonctionne bien est d'en faire une liste et de laisser une copie de celle-ci à vos hôtes. Personnellement, j'ai plutôt tendance à faire confiance. En fait, l'expérience tout entière repose sur la confiance et le respect mutuels.

D'autre part, il faudra faire votre ménage à fond et offrir des lieux aussi soignés et accueillants que possible. Échanger sa maison demande plus d'effort que d'aller à l'hôtel, mais les avantages potentiels sont tellement nombreux que le jeu peut largement en valoir la chandelle.

Truc de pro

J'avertis généralement des voisins fiables et serviables lorsque j'échange ma maison. J'en profite pour leur demander de jeter un œil discret et bienveillant sur mes hôtes. Je leur demande surtout la permission de communiquer leurs coordonnées à mes invités afin que ceux-ci aient quelqu'un vers qui se tourner s'ils devaient avoir besoin de renseignements ou si un pépin quelconque survenait.

Mettre les choses par écrit

La plupart des situations possiblement embarrassantes peuvent, par ailleurs, être encadrées en faisant l'objet d'une entente écrite entérinée par les deux parties. C'est ce que vous proposeront les agences sérieuses.

L'entente gagne à être la plus précise et explicite possible. Elle pourra, par exemple, mentionner les mesures à prendre en cas de bris d'un objet, les personnes à contacter en cas d'urgence, *etc.*

Vous souhaitez inclure vos voitures ou vos bicyclettes dans l'échange? Mettez-le par écrit! Vous ne fumez pas et ne voulez pas de fumeurs chez vous? Mettez-le par écrit! Vous souhaitez être dédommagé pour tout verre à vin ou assiette cassée? Mettez-le aussi par écrit!

Si vous avez une petite tendance à l'insécurité, moins il y aura de flou dans l'entente mutuelle que signeront les deux parties, plus vous aurez l'esprit tranquille.

Truc de pro

Au moment du départ, je laisse à mes invités une carte de la région ainsi qu'un plan de la ville où j'habite sur lequel j'aurai indiqué l'emplacement du supermarché le plus près ainsi que la pharmacie, etc. Je pense aussi à laisser des explications claires concernant l'enlèvement des ordures ménagères, le fonctionnement du système de chauffage ou de climatisation ainsi que celui des principaux appareils électroménagers. Enfin, je laisse au réfrigérateur et dans le garde-manger de quoi cuisiner au minimum un premier repas ainsi que du café et du lait.

Des témoignages

Pour Ginette et Jean, retraités de l'enseignement, la belle vie, c'est quitter Québec une fois par année pour s'envoler vers l'Espagne et vivre pendant un mois au rythme de la population locale.

« Nous avons toujours aimé voyager, m'a raconté Ginette, mais une fois à la retraite, il fallait faire preuve de créativité pour pouvoir continuer sans mettre à mal notre portefeuille un peu plus mince que dans nos jeunes années. De plus, nous ne voulions pas nous limiter à la Floride qui finit par devenir ennuyeuse.

Un ami nous a parlé d'une agence d'échange de maisons par Internet en expliquant qu'il s'agissait de payer les frais d'inscription, de fournir des photos de notre foyer, de donner des détails sur les diverses commodités offertes ou exigées, et d'attendre les offres sans se gêner pour en solliciter. Le site se spécialisait dans des échanges avec des Européens.

Aujourd'hui, non seulement nous avons la chance de voyager, mais nous découvrons, en dehors des sentiers battus, des lieux et des gens dont nous n'aurions jamais soupçonné l'existence. De plus, nous nous faisons de véritables amis puisque nous partageons le réel quotidien des habitants des lieux où nous séjournons! La plupart du temps, nous allons en Espagne où nous adorons le climat, et nos hôtes nous surprennent toujours par leur gentillesse et leur prévenance. »

Pour Sonia et Réjean, qui habitent la banlieue de Québec, l'expérience s'est, par contre, révélée décevante. « Nous ne l'avons fait qu'une fois. La maison était jolie, mais le quartier, situé dans une banlieue éloignée du centre de Paris, était vraiment moche et le voisinage pas très intéressant, m'a confié Réjean. Nous n'avions pas osé échanger nos voitures, alors il a fallu utiliser les transports en commun et les distances étaient plus grandes que nous nous l'étions imaginé. Nous rentrions chaque soir exténués. De plus, de retour au Québec, nous nous sommes rendu compte que notre piscine avait besoin d'un nettoyage complet. Enfin, bien que nous soyons non-fumeurs, les gens avaient fumé dans notre maison. »

Le couple aurait eu avantage à mieux cerner ses attentes, à identifier et à spécifier clairement ses limites. Selon mon sondage maison, les mécontents sont somme toute plutôt rares et les incidents encore plus.

Pour ma part, j'ai échangé trois fois ma résidence. Une fois pour emmener les enfants à Disney, en Floride, une autre pour passer Noël en famille à San Miguel de Allende, au Mexique, et la dernière fois pour visiter Barcelone, en Espagne. Si les deux dernières expériences se sont révélées enchanteresses, la première a plutôt relevé du cauchemar.

Enhardie par le ton sympathique des courriels échangés avec mon hôtesse, j'avais en effet omis d'exiger de voir des photos de la maison. J'ai pris ses excuses pour argent comptant (la maison de Floride était sa maison de vacances, mais elle vivait dans un autre État) et fait preuve de négligence. Mal m'en prit! Je me suis retrouvée dans un véritable taudis, enragée à l'idée que, pendant ce temps, mon « invitée » se prélassait dans les draps propres de ma jolie maison avec vue sur la rivière.

Truc de pro

Je ne suis plus jamais avare de questions envers mes hôtes et j'exige en tout temps de voir des photos de mon lieu d'échange. Lorsque ce n'est pas possible, je passe à une autre offre. Tant pis si je dois modifier mes projets de vacances!

Sept conseils pratiques pour réussir son échange

1. Ayez l'esprit ouvert relativement aux possibilités qui s'offrent à vous, quitte à changer votre destination si une occasion dépassant vos attentes devait se présenter.

2. Prenez votre temps avant d'arrêter votre choix, qu'il s'agisse du site d'échange que vous privilégiez ou des gens avec qui vous échangez.

3. N'attendez pas passivement que l'on vous fasse des propositions. Visitez régulièrement le ou les sites choisis et n'hésitez pas à solliciter vous-même les propriétaires des résidences qui vous intéressent.

4. En remplissant votre fiche descriptive, soignez votre présentation et celle de votre maison. Joignez des photos de l'intérieur tout autant que de l'extérieur et exigez-en autant. Épurez un peu votre intérieur avant de prendre les photos. Parlez aussi de vous et de votre environnement, de vos voisins, de votre quartier, de votre ville et de votre région.

5. Lorsqu'une offre vous intéresse, ne vous précipitez pas. Posez des questions et cherchez à en savoir un peu plus sur vos interlocuteurs. Leur style de vie semble-t-il compatible avec le vôtre? Prenez même le temps de « chatter » un peu ou de faire une visioconférence. (Rien de mieux parfois que de se parler dans le blanc des yeux !)

6. Ne partez pas sans avoir consulté et avisé votre compagnie d'assurance habitation et, s'il y a lieu, votre compagnie d'assurance auto.

7. Demandez à vos hôtes les coordonnées d'une personne sur place à qui demander de l'aide en cas d'un pépin avec la maison (dégât d'eau, *etc.*).

Truc de pro

Si j'ai des enfants en bas âge et que la famille avec qui j'échange en a également, nous partageons aussi les coordonnées de nos baby-sitters respectives!

Des sites pour échanger

Il existe une multitude de sites se consacrant à l'échange de maison. Voici mes meilleures adresses :

- ✓ *www.antre-amis.com*
  Site francophone associé à Club Voyages Tourbec.
- ✓ *www.trocmaison.com*
  Filiale francophone de *Homeexchange.com*.
  www.bovile.com
- ✓ Site axé sur les échanges avec la France et l'Europe. Configuration permettant de ne voir que les offres de personnes intéressées spécifiquement par la région où vous habitez.
- ✓ *www.geenee.com*
  Site d'échange international, bilingue et très convivial. Surtout fréquenté par des gens du milieu de l'enseignement, des arts et de la culture. Mon préféré. Inscription gratuite.

Truc de pro

Je garde à l'esprit que ce sont les membres qui entrent en contact les uns avec les autres et que l'agence n'est finalement qu'un intermédiaire. Elle ne sera pas responsable du déroulement de mon séjour dans la maison que l'on m'aura prêtée, ni de l'état de ma propre maison quand je la récupérerai après l'échange.

Préserver sa santé

Qui veut voyager loin
ménage sa monture.

– Jean RACINE,
extrait de *Les Plaideurs*

Quelle que soit votre destination, certaines précautions élémentaires en matière de santé sont de mise, que vous vous prépariez à passer une semaine aux États-Unis ou six mois au Sénégal. PRÉVENTION est le mot clé. Les conditions climatiques des pays chauds favorisent le développement de virus et de maladies inexistantes sous des climats plus tempérés, ce n'est un secret pour personne. De plus, les règles et les normes en matière d'hygiène sont loin d'être les mêmes partout. Sachez que même les aventuriers se soumettent à un minimum de préparation afin de s'assurer de garder la forme, et que la dengue et le chikungunya NE SONT PAS des instruments de musique exotiques, mais bien de dangereuses maladies ! Vous êtes prévenus.

L'Agence de la santé publique du Canada émet des conseils de santé afin d'informer les voyageurs des risques potentiels pour la santé dans certains pays en particulier. Elle recommande aussi des mesures à prendre pour minimiser ces risques. Avant toute chose, visitez *voyage.gc.ca/voyager/sante-securite* pour voir la liste des pays à risque et prendre connaissance des recommandations en matière de vaccins et de prévention.

Vingt-cinq judicieux conseils

AVANT LE DÉPART

La planification est la clé d'un voyage réussi, en matière de santé aussi.

1. Glanez le plus d'information possible sur le pays où vous vous rendez, en particulier en ce qui concerne l'eau potable, l'hygiène et les

précautions élémentaires recommandées, non seulement dans les grands hôtels, mais dans les lieux publics en général. Après tout, il est rare qu'on ne sorte jamais de son hôtel !

2. Visitez votre médecin peu de temps avant votre départ afin de vous assurer qu'il n'y a pas de changement à votre état de santé. Au besoin, faites-vous prescrire les médicaments nécessaires pour toute la durée de votre voyage.

3. Consultez une clinique santé voyage pour vous enquérir de la nécessité de un ou plusieurs vaccins en fonction des caractéristiques de la région que vous envisagez de visiter. Le vaccin contre l'hépatite est le plus universellement recommandé ! Songez de plus que les vaccins que vous avez reçus dans votre petite enfance ne vous protègent peut-être plus beaucoup aujourd'hui. Discutez-en avec le médecin.

4. Assurez-vous d'être couvert par une assurance voyage (maladie et accident) adéquate. Voir chapitre 9 – *Éviter les mauvaises surprises*.

5. Désignez une personne de votre entourage à contacter en cas d'urgence. Notez ses coordonnées, glissez-les dans votre passeport et remettez-lui votre itinéraire ainsi que la liste des affections et allergies dont vous souffrez et celle des médicaments que vous avez l'habitude de prendre. Ayez cette liste avec vous.
6. Préparez une trousse d'urgence et de premiers soins de base. La disponibilité de certains produits pourrait en effet s'avérer rare dans le pays que vous visitez.
7. Emportez une photocopie de toutes vos ordonnances et assurez-vous de garder vos médicaments dans leur emballage original. Les douaniers se méfient particulièrement des médicaments qui se présentent en vrac, sans étiquette et sans ordonnance claire.
8. Si vous emportez avec vous des aiguilles et des seringues, pour soigner un diabète par exemple, assurez-vous d'avoir également un certificat médical qui en justifie l'usage.
9. Faites le plein de condoms de qualité.

PENDANT LE VOYAGE

Vous avez du plaisir? C'est très bien. Il est cependant préférable de demeurer vigilant!

10. En vol, évitez l'alcool qui, en altitude, peut causer des effets indésirables, et hydratez-vous autant que possible.

11. Toujours pendant le vol, songez à bouger les jambes et à vous lever au moins une fois ou deux afin d'éviter les problèmes circulatoires et le risque de thrombose veineuse, en particulier si vous êtes enceinte.

12. À destination, prévenez les coups de chaleur et les brûlures en évitant l'exposition prolongée au soleil, particulièrement entre 10 et 14 heures. Il faut y aller « mollo » les premiers jours, surtout si le décalage horaire s'ajoute au dépaysement!

13. L'Association canadienne de dermatologie recommande de ne pas s'exposer au soleil sans un écran comportant un indice de protection d'au moins 30.

14. Si nécessaire, pensez à vous enduire de chasse-moustiques. Ces charmantes bestioles et les autres insectes qui piquent ou mordent sont responsables de la propagation de plusieurs maladies, dont la malaria, la fièvre jaune, la dengue et l'encéphalite japonaise. Des souvenirs de voyage pas rigolos du tout! Les produits à base de DEET ou d'icaridine (aussi connue sous le nom picaridine) sont les plus recommandés. Lavez-vous les mains après l'application pour éviter tout contact avec les lèvres et les yeux.

15. Portez un chapeau, une casquette ou un foulard pour couvrir votre tête et des lunettes de soleil. Vous aurez l'air cool en plus d'être protégé. ;)

16. Lavez-vous les mains souvent. Très souvent.

17. En matière d'alimentation, choisissez des restaurants très fréquentés; la nourriture y est plus souvent renouvelée et les risques de contamination sont moins grands.

18. Consommez la viande, les poissons et les légumes bien cuits et pelez vos fruits.

19. Dans le doute concernant la salubrité de l'eau, ne buvez que des liquides embouteillés et refusez les glaçons…

20. Évitez les produits laitiers non pasteurisés.

21. Si vous ne vous sentez pas bien, consultez un médecin sans attendre. Ne prenez pas le risque de voir « si ça passera tout seul » !

AU RETOUR

Non, non. Ce n'est pas encore fini !

22. Ménagez-vous ! Reprenez graduellement vos activités habituelles. Laissez-vous le temps de revenir…

23. Rappelez-vous que, si vous avez pris des médicaments antipaludéens (contre la malaria) durant votre voyage, vous devez continuer à les prendre durant TOUTE la durée prescrite, c'est-à-dire même après votre retour au Canada.

24. Si vous avez été malade pendant le voyage, si vous présentez une blessure, même légère, qui semble ne pas vouloir guérir, ou si vous ne vous sentez pas bien, consultez sans attendre votre médecin en n'oubliant pas de mentionner votre séjour à l'étranger et en dressant la liste des régions visitées.
25. Si la «fièvre des voyages» vous a frappé, il n'existe qu'un seul remède contre celle-ci: vous faire à l'idée et planifier le prochain!

Le contenu de votre trousse de premiers soins

Au moment de rassembler les produits qui composeront votre trousse de premiers soins, rappelez-vous que celle-ci devrait contenir à la fois des produits de base et certains articles répondant à vos besoins particuliers. Si vous avez des enfants, consultez aussi le chapitre 7 – *Emmener ses enfants*.

Voici la liste complète de la trousse de premiers soins de ma famille :

- ✓ Un médicament pour soulager le mal des transports
- ✓ De l'acétaminophène et de l'ibuprofène (pour soulager la douleur et la fièvre au besoin)
- ✓ Une solution désinfectante (en cas de blessures mineures)
- ✓ Des sparadraps en quantité suffisante
- ✓ De la calamine
- ✓ Une crème d'hydrocortisone à 1 % pour traiter les irritations cutanées légères, comme les démangeaisons causées par l'herbe à puce, par exemple
- ✓ Un antihistaminique pour contrer les symptômes d'allergies
- ✓ Une solution de réhydratation
- ✓ Un médicament anti-diarrhée
- ✓ Un médicament contre les dérangements d'estomac
- ✓ Une pince à épiler (en cas d'échardes)

Truc de pro

Avant de partir, je consulte mon pharmacien pour m'aider à compléter ma liste en fonction des besoins de ma famille et pour m'assurer de choisir les fournitures les plus appropriées.

Faire ses bagages

Les voyages développent la mémoire :
c'est toujours à destination que l'on
se souvient d'avoir oublié quelque chose.

– Anonyme

Emportez-vous toujours trop de bagages ? Éprouvez-vous de la difficulté à faire entrer vos 1001 trucs dans une seule valise ? Il paraît qu'emporter trop de choses est un syndrome typiquement féminin. Je n'en suis pas du tout certaine! Quoi qu'il en soit, la limite de bagages autorisée sans payer de supplément varie dorénavant beaucoup selon le transporteur aérien. L'ère où deux grosses valises par passager étaient acceptées partout sans frais, en plus du bagage à main, est bel et bien TER-MI-NÉE. Tenez-vous-le pour dit !

Pour réduire leurs dépenses en carburant et garder les prix au plus bas, les compagnies tendent à diminuer le poids à bord et elles sont de plus en plus sévères en ce qui concerne le dépassement du poids des valises. De plus, la majorité applique dorénavant une politique de bagage unique. Certains transporteurs exigent même un supplément pour tout bagage enregistré, même si vous n'emportez qu'UNE SEULE valise. C'est notamment le cas de la compagnie United. Avant de partir, renseignez-vous auprès de votre agent de voyages ou visitez le site officiel de votre compagnie aérienne afin de connaître sa politique en la matière !

J'ai lu quelque part que le dramaturge Robert Lepage n'emporte jamais de valise et qu'il achète tout à destination. Évidemment, c'est l'idéal, mais si vous n'avez pas son budget, vous devrez vous organiser autrement. Si vous êtes du genre à devoir vous asseoir sur votre sac de voyage avant de pouvoir en refermer la fermeture éclair, et à risquer un tour de rein chaque fois que vous tentez de le soulever, ces quelques conseils s'adressent à vous.

Faire de bons choix

Quel type de vêtements devez-vous emporter ? Combien de paires de chaussures vous faudra-t-il réellement ? Aurez-vous besoin de vêtements chics pour le soir ? S'agit-il d'un voyage d'affaires ou d'agrément ? Un manteau vous sera-t-il réellement utile ? À quels types d'activités vous adonnerez-vous ? Envisagez-vous de faire du sport ? Combien de temps séjournez-vous à destination ?

La meilleure chose à faire, avant de remplir vos valises de tout et n'importe quoi, c'est de rédiger deux listes. Sur la première, énumérez les activités que vous prévoyez faire. Cette tâche vous servira à composer la seconde liste afin d'établir ce qu'il est impératif d'emporter. (Et j'ai bien dit: « impératif ».)

L'alimentation électrique et la configuration des prises de courant varient très souvent d'un pays à l'autre. Si vous emportez des appareils électriques, songez à vous procurer un adaptateur/transformateur 110 volts/220 volts et les fiches murales adéquates. (La variété de celles-ci à travers le monde est absolument étonnante !)

Truc de pro

Je me pose les bonnes questions et je limite tout ce que j'emporte « au cas où... », sachant pertinemment qu'il y a peu de chances que j'en aie réellement besoin en fin de compte.

Éviter d'attendre à la dernière minute

Non, on ne s'y prend pas le jour même ni la veille ! Vous n'aurez alors ni le temps de laver les vêtements qui sont au panier de linge sale ni le temps de repasser ce qui requiert de l'être. De plus, préparer vos bagages à l'avance vous évitera l'effet « J'emporte tout au cas où » ou, pire, « Heureusement qu'ils avaient des magasins à San Francisco, parce que je suis débarqué avec trois robes soleil et deux shorts alors qu'il faisait un froid de canard et que j'avais oublié mon pull de laine et mes jeans préférés à la maison. » Quand on connaît les prix pratiqués dans les boutiques de San Francisco, mieux vaut prévenir que guérir...

Truc de pro

Quelques jours avant le départ, je fais aussi des photocopies de tous mes papiers importants (billets d'avion, passeport, assurance, réservations d'hôtel, etc.) afin de les glisser au fond de ma valise le moment venu. On n'est jamais trop prudent!

Choisir la bonne valise

Si vous voyagez beaucoup, choisissez une valise de bonne qualité (qui n'explosera pas au premier coup dur). Vous ne le regretterez pas. Quand on voit les bagagistes travailler, on réalise à quel point nos petites affaires sont malmenées et ont avantage à être bien protégées! Que l'enveloppe de vos valises soit en matière souple ou à coquille dure importe finalement assez peu. Les premières seront moins lourdes à porter, les secondes protégeront mieux les objets cassants. Ce qui compte surtout, c'est que le mécanisme ou la fermeture éclair qui garde le tout bien fermé tienne le coup!

Créée à l'origine à l'intention des agents de bord, la valise à roulettes a fait ses preuves dans les longs couloirs d'aéroports et sur toutes les surfaces bien planes. Si une voiture vous attend à l'arrivée, cette valise est idéale pour vous déplacer d'un bout à l'autre d'un plancher plat. Par contre, si vous avez à la soulever par son unique poignée, elle sera souvent bien lourde et difficile à manier. Si vous devez l'empoigner pour monter ou descendre un escalier roulant en panne, par exemple, vous la détesterez. Assurez-vous à tout le moins que les roulettes soient de bonne qualité. Il ne manquerait plus qu'elles se coincent, roulent chacune dans sa direction ou se détachent !

Si vous prenez le train, l'autobus ou le métro, ou devez monter à pied plusieurs étages ou marcher sur un terrain accidenté avant d'atteindre votre destination finale, un solide sac de voyage porté en bandoulière ou un sac à dos sera mieux adapté qu'une valise à roulettes.

Enfin, si vous enregistrez vos bagages, songez à les identifier correctement et à leur attacher un signe distinctif. Rien ne ressemble plus à une grosse valise marine qu'une autre grosse valise marine... Un rien suffit parfois à faire la différence (j'attache un foulard coloré à la poignée des miens, mais vous pouvez y mettre un ruban, un gros autocollant ou autre chose).

Sachez qu'à moins que vous ne les ayez tricotés vous-même, des bagages similaires aux vôtres sont en ce moment même en circulation et qu'il est arrivé que des personnes se méprennent en enlevant du carrousel une valise qui n'était pas la leur, et ce, en toute bonne foi ! (Pire, je connais quelqu'un qui a ouvert le bagage qu'il avait récupéré à l'aéroport pour découvrir qu'il ne s'agissait pas de SES sous-vêtements !)

Truc de pro

Faire preuve d'audace quand vient le temps de personnaliser mes bagages est un plus au niveau de la sécurité. Plus ma valise est voyante, plus elle décourage les voleurs. Vive le fuchsia !

Organiser le contenu judicieusement

Une fois votre liste rédigée et votre bagage choisi, rassemblez tous les articles à ranger de manière à les avoir sous les yeux. Pour ce faire, le mieux est sans doute de les disposer sur le dessus de votre lit. Classez ensemble les chaussures, les sous-vêtements, les jeans, les t-shirts, les produits de toilette, *etc*.

Commencez ensuite à remplir votre valise ou votre sac en plaçant les objets lourds au fond. Il s'agit d'une évidence, mais ça ne fait pas de mal de vous le rappeler, n'est-ce pas ? La plupart du temps, il s'agira de vos chaussures. Pour maximiser l'espace, remplissez ces dernières avec vos chaussettes roulées en boule. De combien de paires de chaussures avez-vous réellement besoin déjà? Personnellement, je me contente généralement d'une paire de chaussures confortables pour le jour et d'une jolie paire de sandales pour le soir. Ce n'est pas beaucoup, mais ça me donne un prétexte pour en magasiner une troisième paire à l'étranger. J'adore rapporter des chaussures en souvenir ! Pas vous ?

Après les chaussures, disposez les jeans et les pantalons qui sont généralement moins fragiles que vos jolis chemisiers, vos soutiens-gorge ou vos petites robes (si vous êtes une femme). Pour un gain de place et pour éviter du même coup de froisser vos vêtements préférés, le truc le plus simple consiste à les « rouler ». Attention ! Je ne dis pas de les rouler en boule, hein ! Faites-en plutôt des rouleaux. Terminez en plaçant vos pulls par-dessus les choses les plus fragiles.

Quant à vos sous-vêtements, maillots de bain, écharpes et chaussettes restantes, ils seront parfaits pour combler les vides entre vos affaires et servir de pare-chocs à ce qui est plus fragile. Glissez aussi quelques sacs en plastique vides là où il y a encore de l'espace. Bien pratiques, ils sont légers et vous serviront à y déposer votre linge sale, un pot de crème qui coule, des coquillages ou que sais-je encore.

Vous n'arrivez pas à tout caser ? Il n'y a pas de formule magique. En général, pensez que, pour 10 jours, il faut 7 tenues avec plus de hauts que de bas. En effet, l'équation « nombre de jours – 3 » fonctionne assez bien. Faites des choix, posez-vous les bonnes questions, soyez impitoyable ! Personnellement, j'arrive à n'emporter généralement qu'une seule valise de format cabine qui monte à bord avec moi (je ne vous ments pas!). C'est plus économique (plusieurs compagnies aériennes n'offrent plus l'enregistrement gratuit des bagages, je vous le rappelle), plus rapide (vous n'avez pas à attendre vos bagages au carrousel), et plus sécuritaire (pas de risque qu'on égare vos affaires). Oubliez cela si vous partez en voyage de ski, mais avouez que c'est tout à fait envisageable lors de vacances à la plage! Pour un gain de place et de confort, au moment de choisir vos vêtements évitez le lin, le coton et tous les tissus qui ne sont pas infroissables, et privilégiez les vêtements et accessoires noirs ou blancs. Ils sont classiques, élégants et faciles à agencer. Il peut être judicieux de placer sur le dessus les trucs que vous pensez utiliser en premier.

Enfin, vos cosmétiques et produits de toilette devraient être casés dans les pochettes ou dans les espaces restants, avec tout autre objet supplémentaire. Glissez-y également votre liste d'objets à emporter. Au moment de refaire vos bagages pour rentrer, elle vous aidera à ne rien oublier. Il serait vraiment trop dommage d'oublier vos escarpins préférés à Guernesey, Ankara ou Sao Tomé...

Truc de pro

Pour chasser les odeurs désagréables de mes bagages, j'y glisse un foulard ou un mouchoir imprégné de mon parfum préféré (ou de celui de mon homme).

Diviser pour emporter

Répartissez vos produits de beauté et de soins personnels dans deux trousses, car elles seront plus faciles à caser. Une trousse pour le savon, le shampoing, la mousse coiffante, le dentifrice, la crème solaire et le lait après soleil. Assurez-vous que cette pochette soit imperméable afin d'éviter les fuites fâcheuses. Remplissez une deuxième trousse avec votre crème hydratante, votre maquillage, votre lait démaquillant et votre crème antirides.

Munissez-vous de flacons de format voyage. Pourquoi diable vous encombrer de 500 ml de mousse coiffante quand le moindre gramme de bagage compte et que la pharmacie du coin vous offre pour moins de 2 $ la plupart de vos produits préférés en format de 75 ml ? Gardez vos médicaments dans votre sac à main et emportez aussi l'ordonnance correspondante afin d'en justifier la provenance. Enfin, est-il besoin de préciser que vous porterez sur vous les chaussures les plus lourdes ou la veste la plus encombrante? C'est le moment de chausser vos bottes de randonnée !

Truc de pro

La plupart du temps, j'ajoute au contenu de ma valise un petit sac à dos (vide) en nylon léger que je glisse dans un coin de ma valise. Il est bien pratique à destination et sert généralement à contenir, au retour, les cadeaux destinés à mes proches (ou les nouvelles paires de chaussures que je n'ai pu m'empêcher d'acheter).

À l'intention des amateurs de sport

Renseignez-vous auprès de votre compagnie aérienne au sujet de la politique en vigueur concernant les gros articles tels que les sacs de golf, les planches à voile, les skis, *etc*. Dans certains cas, vous devrez payer un supplément pour les emporter alors que, dans d'autres cas, ils ne poseront pas de problème.

Ne surtout pas se priver d'un bagage à main

Le bagage à main est une véritable bénédiction du ciel. Vous avez normalement droit d'en avoir deux. En plus de ma valise à roulettes de format cabine, je choisis généralement un sac à dos de format moyen dans lequel je glisse mon sac à main, ma tablette électronique ainsi que les objets de première nécessité dont un petit kit de vêtements de rechange. (Si votre valise principale est dans la soute et que la compagnie l'égare, vous vous féliciterez de cette initiative !) Attention, les dimensions des bagages en cabine sont réglementées. Si vous exagérez, vous vous retrouverez peut-être dans l'obligation d'enregistrer le vôtre, avec le coût supplémentaire que cela suppose ! Enfin, faites gaffe aux liquides, gels et autres objets prohibés. Tout contenant de plus de 100 ml est confisqué, même s'il s'agit de sirop contre la toux…

Truc de pro

Si vous avez absolument besoin d'un oreiller de voyage pour soutenir votre cou, choisissez-en un gonflable. Il prendra moins de place !

Emmener ses enfants

Le véritable voyage de découverte
ne consiste pas à chercher de nouveaux
paysages, mais à avoir de nouveaux yeux.

– Marcel PROUST

Pour les parents qui, comme moi, voyagent beaucoup, il n'est pas toujours facile ou possible de laisser les enfants derrière. « Comment feras-tu lorsque tu accoucheras ? Tu devras te résigner à voyager beaucoup moins », me prédisaient déjà les rabat-joie, quelques mois avant la naissance d'Emmanuel, mon aîné. Que nenni ! Mes deux enfants m'ont suivie dès leurs premiers mois jusqu'à leur adolescence et je vous assure qu'il n'y a pas de voyage plus formidable que celui qu'on a la chance de partager avec sa progéniture. En fait, de plus en plus de gens choisissent d'emmener leurs rejetons, même dans les contrées les plus lointaines. En attendant, si vous êtes enceinte, sachez que la plupart des transporteurs aériens refuseront l'accès à leurs vols aux femmes en fin de grossesse (passé la trente-deuxième ou trente-quatrième semaine de grossesse) et peuvent en ce sens exiger une confirmation écrite par un médecin de l'avancement de votre état. Vérifiez les exigences de votre transporteur aérien avant de réserver votre vol.

Pas aussi compliqué qu'on l'imagine

Compliqué de voyager en famille ? Pas plus que la vie de famille en général. Encore une fois, il s'agit surtout de planifier et de s'organiser. Vous vous croyez condamné au métro-boulot-dodo pendant quelques années parce que vous avez de jeunes enfants ? Vous venez d'accoucher et êtes désespérée à l'idée de ne plus pouvoir aller où bon vous semble de peur d'exposer votre tout-petit à mille et un mystérieux dangers ? Permettez-moi de vous rassurer ! Il est tout à fait possible de continuer à parcourir le monde lorsque l'on a des enfants, y compris lorsque ceux-ci sont très jeunes. Beaucoup le font et y trouvent une énorme satisfaction. Des enfants polyglottes, ça vous dit ? Pour réussir votre voyage, une seule obligation : suivre à la lettre la règle des cinq « P ».

« P » pour PLANIFIER

En principe, bébé peut prendre l'avion dès l'âge de 15 jours. En pratique, il vaut peut-être mieux attendre quelques semaines encore. L'enfant sera plus solide et vous aurez eu le temps de faire plus ample connaissance. Dans tous les cas, c'est à vous de voir ! Personne ne connaît mieux son enfant que ses parents. Dès que vous vous sentez suffisamment à l'aise de le faire, n'hésitez pas à planifier un voyage avec votre bébé. Rien n'est plus essentiel à son bien-être que de passer le plus de temps possible avec vous.

Par contre, au moment de choisir votre destination, vous devrez tenir compte des conditions de transport et d'hygiène de l'endroit qui vous intéresse et éviter dans la foulée les climats difficiles: très chauds, très froids ou très humides.

Rappelez-vous aussi que les tout-petits peuvent mal supporter l'altitude et qu'ils ne réagissent pas différemment des adultes en cas de décalage horaire...

Enfin, bébé aura besoin de ses propres papiers. Jusqu'à 24 mois, vous n'avez pas à payer de siège réservé (à moins qu'on ne vous réclame une somme minime) puisqu'il est sur vos genoux, mais le nouveau passeport électronique avec photo est dorénavant obligatoire dès la naissance. Au Canada, la demande requiert la signature des deux parents, que ceux-ci soient séparés ou pas. En cas de séparation ou de divorce, seul le parent qui a la garde de l'enfant peut cependant en faire la requête et il doit alors fournir toutes les pièces légales se rapportant à la garde et aux droits de visite.

Si vous voyagez avec votre enfant sans son autre parent, il vous faudra en outre une lettre de consentement légalisée et signée par ce parent et, s'il y a lieu, une copie du jugement de divorce ou de l'accord de séparation. Malheureusement, la lettre de consentement ne garantit pas que votre enfant sera autorisé à entrer dans un pays ou à le quitter. Chaque pays ayant ses propres exigences d'entrée et de sortie, il vous faut scrupuleusement vous renseigner sur celles-ci AVANT votre départ. Ouf! ne vous découragez pas, il y a des tas de parents qui voyagent seuls avec leurs enfants tous les jours et ça se passe très bien. Vous y arriverez aussi.

Truc de pro

Pour obtenir un modèle de lettre de consentement à faire signer par l'autre parent, je visite le site du gouvernement du Canada situé à l'adresse suivante: voyage.gc.ca/voyager/enfant/lettre-de-consentement.

« P » pour PRÉVENIR

C'est la destination qui détermine l'ampleur des préparatifs en termes de prévention. Avant de partir, consultez votre pédiatre pour un examen de routine et quelques conseils. Le cas échéant, voyez également un médecin spécialisé en médecine tropicale. Vérifiez soigneusement si vous avez besoin de vaccins ou si vous devez prendre d'autres précautions pour votre santé et celle de votre famille, en fonction du pays visité.

Si vous allez dans un pays affecté par le paludisme, par exemple, il faudra astreindre toute la famille à un traitement avant, pendant et après le voyage. Par contre, le traitement est interdit aux bébés. Il faudra donc, dans ce cas, différer votre départ. Assurez-vous également que la vaccination régulière de votre enfant est à jour et pensez à vous munir de son carnet de santé. Par ailleurs, faites-vous recommander les médicaments adéquats en cas de fièvre et de diarrhée, et prévoyez en apporter en quantité suffisante, dans leur emballage original, accompagnés de leur ordonnance.

En dehors des pays industrialisés, la diarrhée guette souvent les voyageurs. Cette affection, pas toujours bénigne, est causée par des micro-organismes souvent bien tolérés par la population locale, mais pas du tout par les étrangers. On peut la prévenir en ne buvant que de l'eau embouteillée et en se lavant les mains très souvent.

Les restaurants touristiques ne présentent en général pas trop de risques, mais il n'est pas conseillé d'acheter la nourriture des enfants sur la rue. En dehors des grands hôtels internationaux, le mieux sera peut-être de prévoir préparer vous-même votre nourriture. Si ce n'est pas possible, évitez les glaces de même que les fruits et légumes crus, non pelés ou qui ont été potentiellement lavés avec de l'eau non stérilisée, comme la salade et les jus faits de fruits frais.

Pensez aussi à adapter votre trousse de premiers soins en fonction de l'âge de votre enfant. Elle devra contenir au minimum: un produit désinfectant, un onguent antibiotique, de l'acétaminophène (pour adultes et pour enfants), des sparadraps, de la calamine et une solution de réhydratation.

Enfin, faites attention de ne pas exposer bébé au soleil avant l'âge de trois ans, ne sortez jamais sans écran solaire et pensez à emporter un chasse-moustiques. Je ne saurais trop le répéter, ces charmantes bestioles sont responsables de la propagation de plusieurs maladies, dont la malaria, la fièvre jaune, la dengue et l'encéphalite japonaise. Des maladies qu'on ne classe jamais parmi les beaux souvenirs de voyage!

Truc de pro

Pour un bébé, préférez le filet-moustiquaire aux aérosols anti-moustiques. Celui-ci prend peu de place et est incomparable sur le plan des bénéfices ! Vous en trouverez dans toutes les boutiques où l'on vend des accessoires de voyages.

« P » pour PRÉVOIR

Au moment de prévoir ce qui devra composer vos bagages, encore une fois, c'est la destination, la durée du voyage et l'âge des enfants qui sont déterminants. Soyez prévoyant au moment, par exemple, de calculer la quantité de couches ou de lait maternisé qu'il vous faudra. S'il n'est généralement pas difficile de s'approvisionner en couches jetables en Amérique et en Europe, la réalité peut s'avérer tout autre dans certaines contrées, hors des sentiers battus. Il faudra alors calculer précisément la quantité nécessaire ou prévoir des couches en tissu à laver au fur à et mesure.

Côté boire, si la maman allaite, c'est l'idéal d'un point de vue pratique ! Sinon, emportez la quantité de lait maternisé nécessaire pour toute la durée du voyage. (Vous auriez une chance inouïe si votre marque habituelle était accessible en Indonésie!) Prévoyez au moins deux biberons en plastique et une boîte hermétique pour garder le lait en poudre.

Pour vos déplacements avec bébé, prévoyez une poussette-canne ou un porte-bébé sac à dos. Certains modèles sont munis de roues et se transforment en poussette. Tout en demeurant prudents, faites autant que possible comme les gens sur place. Plus vous voyagerez léger, plus vous serez mobile et décontracté. Pour le dodo de bébé, un matelas posé sur le sol ou un petit hamac et une moustiquaire feront très bien l'affaire.

En ce qui concerne les vêtements, dans les pays chauds, donnez la préférence aux habits de couleurs pastel ainsi qu'aux matières qui sèchent vite. Dans tous les cas, prévoyez des vêtements amples, faciles à laver et en quantité suffisante pour environ une semaine. Pensez aussi à apporter un pull en prévision des soirées plus fraîches et du voyage en avion.

N'oubliez pas le chapeau à larges bords et les chaussures conçues pour la baignade.

Truc de pro

Si je partage ma valise avec mon enfant, je place ses affaires sur le dessus; elles seront plus faciles à trouver en arrivant à destination.

« P » pour PARTIR

Pour ce qui est du billet d'avion, dès que votre enfant atteint deux ans, sachez que, si les réductions de prix sont encore parfois possibles sur les vols réguliers, elles se font rarissimes. Par contre, la plupart des voyagistes offrent des forfaits tout inclus destinés spécifiquement aux familles. Ainsi, très souvent, les enfants de plus de deux ans ne paient que leur place d'avion, la portion « hébergement et repas » leur étant offerte gratuitement. Nouvelles réalités obligent, certains grossistes offrent même des forfaits spéciaux à l'intention des familles monoparentales. Ça vaut vraiment le coût de se renseigner !

Au moment de quitter la maison, munissez chaque enfant en âge de marcher d'un mini sac à dos. Remplissez celui-ci de quelques surprises (mini jeux de société, crayons à colorier, cahier, livre, petite poupée ou petites autos ou blocs Lego), d'une collation santé et, pour le sécuriser, de son jouet préféré ou de sa doudou. Ne mettez JAMAIS de jouets qui ressemblent à des armes (pistolet ou fusil à eau, par exemple) dans le bagage de votre enfant si vous devez prendre l'avion.

À l'aéroport, au moment de passer le contrôle de sécurité, sachez qu'il vous faut remettre tous les jouets dans leur sac avant de passer au contrôle, et sortir votre enfant de sa poussette ou du porte-bébé pour le tenir dans vos bras quand vous franchirez le portique de détection de métal.

Enfin, vous pourrez aussi avoir avec vous une quantité raisonnable de nourriture pour bébé, de lait ou de préparation lactée, d'eau et de jus en fonction de la durée de votre voyage. Ces produits sont exemptés des restrictions sur les liquides si vous voyagez avec un enfant de moins de deux ans.

« P » pour PROFITER

Un des aspects les plus enrichissants du voyage en famille est la certitude que vous et vos enfants allez rencontrer beaucoup de gens nouveaux. Pour vous et votre progéniture, c'est une occasion d'enrichissement à nulle autre pareille !

En Asie, en Afrique et en Amérique du Sud, par exemple, les bébés et les enfants occidentaux bénéficient de toutes les attentions. Dans les marchés, la rue, les transports en commun ou les restaurants, vos tout-petits risquent fort d'être le centre d'intérêt. C'est l'occasion de créer des liens, de partager, d'en apprendre encore plus sur la population locale.

L'un des points forts du voyage en famille, c'est qu'il permet de multiplier les occasions de contact. Les difficultés de communication entre les peuples sont rarement un problème pour les enfants. Sourires, gestes de la main et regards sont autant de signes de dialogue, d'échange et de communication. N'hésitez pas à faire de même. En y allant progressivement, tout en restant vigilant, vous pourriez même avoir l'occasion d'approfondir ces relations. Des moments privilégiés dont vous vous souviendrez votre vie durant !

Enfin, c'est bien connu, bébés et jeunes enfants bénéficient d'une formidable capacité d'adaptation. Ils se sentiront bien partout où vous vous sentirez bien vous-même. Par contre, comme à la maison, ils ressentiront aussi vos angoisses et votre inconfort. *Keep calm & enjoy!*

Longs trajets en automobile: sept conseils

1. Partez tôt et arrêtez-vous tôt également. Ne roulez pas jusqu'à l'épuisement complet. Le fait de rester assis plus de six heures par jour dans une voiture dépasse largement les capacités de la majorité des enfants. L'idéal serait de voyager à des moments où ils peuvent dormir, c'est-à-dire avant l'aube ou après 19 heures. Sinon, prévoyez des arrêts toutes les deux heures pour leur permettre de se dégourdir les jambes, d'aller aux toilettes et de dépenser leur trop-plein d'énergie.

2. Gardez des oreillers dans l'habitacle de la voiture, mais essayez d'y limiter le reste des bagages. Le manque d'espace, surtout pour les jambes, crée un sentiment de claustrophobie, comme les vêtements trop serrés d'ailleurs.

3. Où que vous logiez – hôtel, motel, terrain de camping –, faites en sorte de toujours avoir une réservation assurée au bout du trajet. La promesse d'une baignade à la fin de la journée est le meilleur encouragement qui puisse exister pour inciter les enfants à se tenir tranquilles une heure de plus.

4. Tenez vos tendres trésors occupés en leur proposant des jeux d'observation. Par exemple : compter les vaches et les chevaux dans le paysage, trouver le plus possible de plaques d'immatriculation en provenance de provinces, d'États ou de pays différents, nommer le plus grand nombre possible de choses dont la première lettre est la même que celle du prénom de l'enfant, trouver le plus grand nombre possible de choses de couleur bleue, *etc.*

5. Au moment du départ, offrez-leur un sac à surprises contenant des petites douceurs.

6. Assurez-vous d'avoir suffisamment d'eau potable à bord pour tout le monde ainsi que quelques fruits et autres grignotines.

7. Ne partez pas sans une boîte de serviettes humides pour essuyer les petits dégâts.

Gérer ses papiers

Les voyages sont la partie frivole
des gens sérieux, et la partie sérieuse
des gens frivoles.

– Anne Sophie SWEITCHINE

Bien qu'il ne s'agisse pas de la portion la plus intéressante des préparatifs d'un voyage, il n'en faut pas moins apporter un soin particulier à rassembler tous les papiers nécessaires au bon déroulement de votre séjour à l'étranger. Qu'emporter comme papiers ? Comment les sécuriser ? Où s'adresser pour les obtenir ? Les bonnes réponses se trouvent dans ce chapitre.

Le passeport

Avant d'acheter votre billet d'avion, une petite vérification s'impose. Avez-vous suffisamment de temps devant vous pour faire une demande de passeport? Si des enfants vous accompagnent, ont-ils le leur? Rappelez-vous que dorénavant, même les enfants, y compris les nouveau-nés et les nourrissons, doivent posséder leur propre passeport avec photo. Attention, l'époque où ce document coûtait trois fois rien est révolue ! Il faut désormais compter 120 $ pour un passeport dont la durée est de 5 ans, 160 $ pour un passeport valide 10 ans et 57 $ pour un passeport pour enfant, valable pour une période de 5 ans.

Le formulaire de demande et des détails supplémentaires sont disponibles sur Internet à l'adresse: *www.passeport.gc.ca*. Une fois le formulaire rempli et les documents exigés en appui rassemblés, songez que les délais de traitement de votre demande, sans compter le jour du dépôt de la demande, sont de 10 jours ouvrables si vous déposez votre demande en personne à l'un des bureaux de Passeport Canada, ou de 20 jours ouvrables si vous expédiez votre demande par la poste. À ce temps, il faut ajouter les délais postaux si votre passeport vous est ensuite expédié par la poste. La demande pour un passeport requis dans un délai de moins de 3 semaines (moins de 20 jours ouvrables) doit obligatoirement être déposée en personne à l'un des bureaux de Passeport Canada. Notez que les délais précités ne sont là qu'à titre indicatif et qu'ils peuvent être plus longs en période de pointe (avant les fêtes de fin d'année, par exemple, ou juste avant les grandes vacances d'été). Des frais supplémentaires (plutôt salés) s'appliquent évidemment pour les services « urgent » (24 heures) ou « express » (2 à 9 jours ouvrables). Il vaut mieux être prévoyant!

Un nouveau passeport électronique

Saviez-vous que, depuis le 1er juillet 2013, tous les nouveaux passeports canadiens délivrés sont des passeports électroniques de 36 pages ? Le nouveau passeport diffère de l'ancien en ce qu'il comporte de nouvelles caractéristiques numériques de sécurité qui le rendent plus difficile à falsifier, dont une puce électronique, située dans la couverture arrière. Les requérants adultes ont le choix entre un passeport valide pour 5 ans ou pour 10 ans. Pour des raisons évidentes, le passeport pour enfant n'est valide que pour cinq ans. Enfin, si vous avez déjà un passeport valide en votre possession, prenez le temps de vérifier sa date d'expiration et sachez que plusieurs pays exigent une période de validité pouvant aller jusqu'à six mois après la date prévue de votre retour au Canada.

Les visas

Les règles concernant les visas varient d'un pays à l'autre et parfois même d'une année à l'autre. Développez le réflexe de vérifier s'il vous faut un visa dès que vous projetez de sortir de la zone Canada-États-Unis, même si vous n'en avez pas eu besoin lors d'un séjour précédent.

Un visa est un document officiel (habituellement estampillé ou collé à l'intérieur de votre passeport, mais pas nécessairement) qui confirme que les autorités d'un pays étranger vous accordent la permission d'entrer et il faut en prendre grand soin ! Il est délivré par les bureaux des gouvernements étrangers et les exigences, tout comme les délais de traitement d'une demande de visa, varient en fonction notamment de l'objectif de votre visite. Il existe quatre grandes catégories de visas : pour les affaires, pour le travail, pour les études et pour le tourisme. Avant d'acheter votre billet d'avion, consultez la page « Conseils et avertissements » du site du gouvernement du Canada au: *voyage.gc.ca/voyager/avertissements,* puis cliquez sur l'onglet « Exigences d'entrée et de sortie », après avoir sélectionné votre pays de destination.

Sachez qu'il est presque certain que vous aurez besoin d'un visa si vous projetez un séjour d'une durée supérieure à 90 jours, quelle que soit votre destination, et ce, même si un visa de touriste n'est pas exigé pour un court séjour. Si on prend l'exemple de la France, la page afférente sur le site du gouvernement canadien nous apprend que le visa de touriste n'est pas exigé pour un séjour de 90 jours ou moins, mais qu'il est absolument requis pour un séjour plus long, de même que pour un séjour professionnel ou pour y faire des études.

Enfin, rappelez-vous que les représentants du pays pour lequel vous demandez un visa doivent d'abord voir votre passeport valide. Si vous vivez en région et ne pouvez vous déplacer en personne dans une ambassade ou un consulat du gouvernement étranger en question, assurez-vous de choisir un service postal sécuritaire pour leur envoyer votre passeport et joignez une enveloppe affranchie pour le retour.

Truc de pro

Comme je voyage plusieurs fois par année à l'étranger, je possède une carte d'identité NEXUS qui me permet de gagner du temps à la frontière. Pour aussi peu que 50 $, le programme permet aux voyageurs préapprouvés de traverser les postes frontaliers sans avoir à se soumettre à l'interrogatoire habituel des agents des douanes. Pour en faire la demande, visitez la page située à l'adresse voyage.gc.ca/voyager/documents/nexus. Lorsque j'arrive à Montréal en provenance de la France, je peux utiliser le poste de déclaration libre-service situé à l'aéroport, dans la zone des services d'inspection canadiens, plutôt que de faire la queue avec la majorité des autres passagers. Jouissif!

Le permis de conduire

Louer une voiture à l'étranger est relativement facile si vous êtes âgé de 21 ans, que vous possédez un permis de conduire valide au Canada et que vous possédez une carte de crédit.

Si vous limitez vos déplacements aux États-Unis, vous pouvez rouler tranquille puisque votre permis du Québec est reconnu partout (sauf dans l'État de Géorgie où le permis international est requis).

Cependant, certains pays exigent que vous ayez aussi en main le permis de conduire international, en particulier en dehors de la francophonie. On se procure celui-ci dans toutes les succursales du Club automobile (CAA-Québec) : *caaquebec.com.* Pour l'obtenir, il vous faudra fournir deux photos récentes de format passeport et débourser 25 $.

Un permis de conduire international, c'est quoi ?

Le permis de conduire international présente une traduction en 10 langues des renseignements présents sur votre permis québécois. Drôlement utile lorsqu'un agent de la circulation vous intercepte pour une infraction au code de la route en Italie, au Danemark, au Portugal ou en Argentine ! Attention par contre, il ne remplace pas votre permis original, il ne fait que compléter. Il demeure donc impératif d'apporter les deux...

Truc de pro

Le permis de conduire international émis par CAA-Québec est valide pour un an après sa date d'émission. Afin d'en profiter pleinement, je n'en fais la demande qu'une petite semaine au maximum avant mon départ ! Lorsque je me rends en personne à l'un des points de service du CAA-Québec, on me le délivre le jour même !

Vive le photocopieur !

Pensez à imprimer, « scanner » ou photocopier tous vos papiers et documents importants : passeport, billets d'avion, carnet de vaccination, cartes de crédit, chèques de voyage, preuve d'assurance, permis de conduire, coordonnées de personnes à joindre en cas d'urgence.

Une copie de ces documents devrait rester au Québec, entre les mains d'un proche, et les autres copies devraient vous accompagner mais être rangées loin des originaux, c'est-à-dire pas dans le même bagage (évidemment). Et, à l'intention de cette personne proche, pourquoi ne pas inclure vos coordonnées à destination ou aux étapes prévues, si vous les connaissez. Bien sûr, c'est le choix du jour: vie privée ou sécurité ?

Enfin, avant de souscrire à une assurance, vérifiez que vous n'êtes pas déjà couvert par la carte de crédit utilisée lors du paiement. Rien ne vous empêche de la compléter ensuite par une assurance complémentaire qui vous coûtera déjà moins cher !

Truc de pro

Je n'oublie pas qu'il est fortement recommandé de confirmer mon vol auprès de ma compagnie aérienne 48 heures avant mon départ ainsi qu'au moment du retour. Histoire de prévenir les mauvaises surprises! Un vol dont l'heure de départ a été modifiée ou sur lequel il y a plus de candidats passagers que de sièges, oui, ça arrive!

Éviter les mauvaises surprises

L'homme qui veut s'instruire doit
lire d'abord, et puis voyager
pour rectifier ce qu'il a appris.

– Giacomo CASANOVA,
extrait de ses *Mémoires*

Êtes-vous du genre à prendre des risques inutiles et à vous attirer des ennuis rien que pour les frissons que cela procure ? Moi pas. Il n'y a donc aucune chance que je mette les pieds à Brazzaville (République du Congo) dans les prochains mois. Personne n'est à l'abri d'une malchance, en voyage comme en toutes choses, mais de là à tenter le diable, il n'y a qu'un pas que certains n'hésitent pas à franchir, par inconscience ou par simple goût de vivre des émotions fortes. Si vous êtes de ceux-là, ce chapitre ne s'adresse pas à vous. Par contre, si vous voulez mettre toutes les chances de votre côté pour faire de votre séjour à l'étranger un souvenir que vous chérirez longtemps, encore une fois, suivez le guide !

Les précautions essentielles

Je vous en ai parlé précédemment, le gouvernement du Canada met à la disposition des voyageurs canadiens un site Internet regorgeant d'information de première main et de judicieux conseils, notamment en termes de sécurité. Peu importe votre destination de voyage, assurez-vous de consulter minimalement ce site avant de partir. Je vous rappelle l'adresse : *voyage.gc.ca.*

C'est également à cet endroit que vous trouverez les avertissements diffusés à l'égard de certaines destinations plus à risque, momentanément ou non. Si un avertissement a été diffusé pour le pays ou la région dans lequel vous comptez voyager, et que vous décidez de vous y rendre quand même, cela pourrait avoir une incidence sur votre assurance maladie de voyage ou votre assurance annulation. Raison de plus pour consulter les informations de dernière heure. Tenez-vous-le pour dit ! (Je tiens à vous, cher lecteur.)

Au moment d'écrire ces lignes, par exemple, il est fortement recommandé d'éviter non seulement la République du Congo, mais également l'Afghanistan, le Burundi, la Corée du Nord, l'Égypte et quelques autres coins chauds du globe. Des avertissements formels sont en vigueur et tout voyage non essentiel dans ces contrées est à éviter. Vous pourrez compléter cette liste en visitant le site Internet précité.

Par ailleurs, il est également recommandé de « faire preuve d'une grande prudence » si vous envisagez de vous rendre en Algérie, en Angola, en Arabie Saoudite, en Azerbaïdjan, à Bahreïn, au Bangladesh, au Bélarus, au Bélize, au Bénin, en Birmanie, en Bosnie-Herzégovine, à Cabo Verde, au Cambodge, au Cameroun, ainsi que dans d'autres endroits tout aussi charmants. Heureusement, le choix de destinations plus accueillantes demeure vaste et, si Dieu le veut, certaines des contrées, qui sont considérées peu recommandables aujourd'hui, seront les paradis terrestres de demain. Cela s'est déjà vu...

On ne plaisante pas avec les règles

Avoir une connaissance minimale des lois du pays que vous visitez pourrait vous protéger contre l'envie de faire des bêtises dans un coin du monde où celles-ci portent beaucoup plus à conséquence que dans votre patelin d'origine. Renseignez-vous ! On ne blague pas avec ce genre de choses…

Attention également à ce que vous photographiez. En règle générale, les militaires et les policiers abhorrent qu'on les prenne en photo ! Demeurez prudent aussi avant d'appuyer sur le « clic » à la face d'un parfait inconnu. Il vaut toujours mieux demander la permission, même lorsqu'il s'agit d'enfants. En principe, il est interdit de prendre des photos dans les aéroports, en particulier près des contrôles de sécurité et de la douane. On comprend que c'est une question de sécurité. Attention, les rigolos risquent de se faire confisquer leur matériel ! Enfin, les douaniers ont parfois le sens de l'humour, mais cela ne vient pas automatiquement avec la fonction. Alors évitez les mauvaises blagues, vous ne vous en porterez que mieux. On a déjà vu des touristes devoir prendre un vol de retour... à peine débarqués.

Garder le contact avec le Canada

L'inscription des Canadiens à l'étranger est un service fourni gratuitement par Affaires étrangères, Commerce et Développement Canada. Advenant le cas où une situation d'urgence devait survenir dans le pays qui vous accueille, un séisme majeur ou des troubles civils, par exemple, cette inscription permet de mettre toutes les chances d'être rapidement secouru, si nécessaire.

Si la région où vous vous rendez est à risque de séisme, ne faites pas l'économie des deux minutes que requiert cette inscription. Le formulaire en ligne est disponible à l'adresse: *voyage.gc.ca.* La procédure est confidentielle et fort simple. Sauf exception, il faut évidemment être citoyen canadien pour le faire.

En tout temps, assurez-vous que quelqu'un au Canada sait que vous séjournez à l'étranger et qu'il connaît vos plans et votre itinéraire. Assurez-vous de lui laisser également les coordonnées de vos lieux d'hébergement et faites des mises à jour au fur et à mesure si nécessaire. Si jamais il devenait urgent de vous joindre, les démarches en seraient grandement facilitées. Enfin, si votre séjour est de longue durée, il serait judicieux de convenir avec cette personne d'une fréquence de contacts, fréquence au-delà de laquelle elle serait en droit de commencer à s'inquiéter à votre sujet et de prendre quelques moyens pour tenter de vous localiser.

Truc de pro

Les ambassades canadiennes, les consulats et les missions à l'étranger peuvent s'avérer d'un grand secours en cas de problèmes graves. S'il y a lieu, notez les adresses où ils sont situés dans le pays où vous vous rendez et gardez ces coordonnées avec vous.

Se protéger des voleurs

Vous êtes relax et portez des lunettes roses ? Super ! C'est que vous profitez bien de vos vacances. Raison de plus pour ne pas vous laisser détrousser !

Avant de partir, si vous avez suivi mes conseils précédents, vous avez probablement fait des photocopies de tous vos papiers de voyage (passeport, billets d'avion, preuves d'assurance, réservations, chèques de voyage, cartes de crédit, numéros à joindre en cas d'urgence). L'idéal est de laisser le premier jeu de photocopies entre les mains d'une personne de confiance au Canada, et l'autre dans un lieu différent de celui où vous conservez vos originaux. C'est fait ? Je suis fière de vous ! Une fois ce devoir effectué, il est de mise de garder une certaine vigilance. Sans tomber dans la paranoïa, il s'agit d'éviter tout comportement à risque, en particulier si on est loin de ses repères habituels.

Huit sages recommandations

Je ne suis pas votre mère, mais qu'à cela ne tienne ! Voici la liste de mes recommandations en huit points :

1. Gardez vos documents importants (passeport, billets d'avion, chèques de voyage) dans le coffre de votre hôtel. Quant à votre argent de poche et à vos cartes de crédit, gardez-les en tout temps près de votre corps, dans une pochette cachée et prévue à cet effet. Si vous êtes sur la plage, n'emportez aucun objet de valeur et laissez vos cartes de crédit avec votre passeport.

2. Lorsque vous déambulez dans la rue, marchez d'un pas décidé et évitez autant que possible d'avoir l'air perdu ou vulnérable.

3. Méfiez-vous des disputes bruyantes et des bousculades survenant dans la rue. Travaillant souvent en équipe, les pickpockets utilisent ce style de stratagème pour détourner notre attention et nous faire les poches au moment où nous nous y attendons le moins.

4. Soyez particulièrement vigilant dans les endroits très fréquentés comme les aéroports, les gares, les spectacles en plein air et les halls d'hôtel !

5. De grâce, évitez à tout prix de mettre quoi que ce soit dans la poche arrière de votre pantalon ou d'exhiber votre sac à main Louis Vuitton ou votre portefeuille Chanel au-delà de la Cinquième Avenue, à New York, de Rodéo Drive, à Los Angeles, ou de la rue du Rhône, à Genève et de quelques autres endroits destinés à ceux et celles qui roulent sur l'or et où le luxe ostentatoire est la règle.

6. Autant que faire se peut, habillez-vous modestement et évitez les bijoux clinquants. En d'autres termes, évitez d'attirer l'attention. À moins que vous ne teniez absolument à attirer des hordes d'admirateurs aux motivations douteuses...

7. Ne donnez jamais de renseignements à un étranger concernant vos objets de valeur, votre destination ou votre itinéraire, aussi charmant qu'il puisse paraitre.

8. Signalez sans retard tout larcin, cambriolage ou incident aux autorités concernées, qu'il s'agisse de la direction de votre hôtel ou de la police locale.

Dans les aéroports et les avions, on signale une recrudescence des vols de bagages à main, en raison principalement du fait que les gens envoient de moins en moins de bagages dans la soute. Ne perdez jamais de vue les vôtres !

Éviter tout risque inutile

N'achetez jamais de substances illicites d'un parfait inconnu, même dans un bar d'Amsterdam... Que vous le vouliez ou non, ça se voit comme le nez au milieu du visage que vous êtes étranger, donc la victime parfaite pour des gens sans scrupules. Ne prenez jamais de risques inutiles avec votre santé ou votre sécurité. En dehors de chez vous, votre intégrité physique est plus précieuse que jamais. Lisez et relisez avec attention les recommandations des chapitres 5 et 10 à ce sujet. Aussi, ne partez JAMAIS sans une couverture adéquate d'assurance maladie accident. Encore là, il n'y a pas de risques à prendre ! Vous retrouver en position de vulnérabilité en cas d'accident ou de maladie subite pourrait avoir des répercussions énormes sur votre avenir.

Avoir une couverture adéquate

Dès que vous prévoyez vous rendre à l'étranger, ne serait-ce que pour une journée, il est impératif de vous assurer d'être adéquatement protégé côté assurance (accident – maladie – invalidité). En cas de maladie, ou lors d'un accident, la facture que vous pourriez devoir payer pour être soigné hors Québec pourrait s'avérer plus que salée. On a vu des personnes devoir hypothéquer leur maison ou s'endetter pour la vie afin d'assumer ce type de dépense ! Songez qu'il arrive aussi que des cliniques ou des hôpitaux refusent de soigner une personne qui n'est couverte par aucune assurance ou qui n'est pas en mesure de prouver qu'elle dispose des ressources financières suffisantes pour payer ses soins. Pas d'angélisme, encore une fois.

Les sociétés émettrices de cartes de crédit peuvent offrir une assurance voyage et maladie à leurs clients, mais ne présumez pas que cette assurance est offerte automatiquement ou que le simple fait de détenir une carte de crédit de prestige vous procure une couverture adéquate. Vérifiez soigneusement ce qu'il en est exactement!

Quatorze questions pertinentes pour mieux choisir votre assurance

Au moment d'évaluer le régime d'assurance voyage qui vous est proposé, évaluez soigneusement vos besoins et vérifiez les conditions, les restrictions et les exigences de la police à laquelle vous envisagez de souscrire. Lisez le contrat en entier avant de signer, petits caractères compris. Si vous ne le faites pas, personne ne le fera à votre place et vous n'aurez personne d'autre à blâmer si votre compagnie d'assurance refuse de vous rembourser en cas de pépin. Allez ! Un peu de courage et mettez vos lunettes sur le bout de votre nez si nécessaire!

Le site de renseignements aux voyageurs du gouvernement du Canada recommande de poser entre autres les questions suivantes :

1. Couvrira-t-elle toute la durée de votre séjour? Si vous deviez prolonger celui-ci, pourriez-vous la renouveler de l'étranger?

2. Couvre-t-elle les affections existantes, c'est-à-dire les complications en lien avec une mala-

die dont vous pourriez souffrir présentement? Si oui, assurez-vous que cela soit clairement indiqué.

3. Offre-t-elle un numéro de téléphone d'urgence vous permettant de joindre quelqu'un parlant votre langue de n'importe où, n'importe quand?
4. Couvre-t-elle les soins dentaires d'urgence?
5. Couvre-t-elle les transports d'urgence?
6. Couvre-t-elle les visites chez le médecin et les médicaments d'ordonnance?
7. En plus des frais de consultation, de soins et d'hospitalisation, couvre-t-elle les frais médicaux connexes comme les services d'accompagnement par une infirmière, au besoin, la location de béquilles, d'un fauteuil roulant ou autres?
8. Couvre-t-elle d'autres frais connexes comme un nouveau billet de retour si vous deviez manquer le vol prévu à l'origine?

9. Couvre-t-elle l'évacuation médicale au Canada ou vers l'établissement de santé adéquat le plus près?

10. Prévoit-elle un paiement direct des factures et offre-t-elle des avances de fonds vous permettant de ne rien payer vous-même, ou devez-vous payer d'abord et vous faire rembourser ensuite?

11. Si vous êtes enceinte, couvre-t-elle, le cas échéant, les risques d'accouchement prématuré et les soins néonataux?

12. Les frais déductibles ou les soins non couverts sont-ils clairement identifiés? Les régimes offrant une couverture totale sont plus chers, mais pourraient vous faire économiser en cas d'évènement grave.

13. Couvre-t-elle la préparation et le rapatriement de votre dépouille au Canada si vous deviez décéder à l'étranger? (Ces frais ne sont réellement pas à la portée de toutes les bourses !)

14. Exclut-elle certains pays ou régions ou présente-t-elle des limites de services pour certaines destinations?

Surtout, ne mentez jamais à propos de vos antécédents médicaux lorsque vous remplissez un formulaire de demande d'adhésion à une assurance voyage. Vous risqueriez d'invalider toute demande de règlement subséquente. Sachez que vous avez la responsabilité de lire et de bien comprendre les différentes clauses de votre police d'assurance AVANT de signer votre accord.

Enfin, les compagnies d'assurance peuvent exclure de leur couverture certaines affections comme les troubles psychiatriques, les incidents impliquant la consommation d'alcool ou de drogue, ainsi que les accidents reliés à la pratique de sports extrêmes. Vérifiez avant le départ si votre divertissement sportif préféré fait ou non partie d'une liste des activités touchées par une quelconque restriction.

Truc de pro

Je garde à l'esprit qu'il est possible que ma compagnie d'assurance ne rembourse pas les frais médicaux engagés pour soigner des blessures subies dans un pays pour lequel le gouvernement du Canada avait émis un avertissement officiel avant mon départ. Si ce n'est pas déjà fait, je visite le site du gouvernement du Canada à l'intention des voyageurs AVANT d'acheter mes billets d'avion: voyage.gc.ca/voyager/avertissements.

En cas de pépin

Si un problème de santé survient, obtenez si possible l'autorisation de votre assureur avant de subir tout traitement médical au-dessus de vos moyens. Sachez que les examens de santé courants et les soins non urgents sont en effet rarement couverts.

Avant de rentrer au Canada, assurez-vous d'obtenir en main propre, par l'établissement où vous avez séjourné ou par le médecin que vous avez vu, une facture détaillée rendant compte des soins que vous avez reçus. Il n'y a rien de plus frustrant et compliqué que d'essayer de réunir les documents nécessaires une fois revenu au pays, alors que des milliers de kilomètres vous séparent dorénavant du lieu où vous avez reçu les soins ! N'oubliez pas de joindre à votre demande de remboursement les reçus originaux des médicaments d'ordonnance ou de toute dépense médicale ou autre en lien avec votre mésaventure et potentiellement remboursable. Enfin, conservez une copie de TOUS les documents que vous transmettez à votre compagnie d'assurance.

Truc de pro

Pour en savoir plus et obtenir des renseignements complémentaires, je consulte le site Internet de l'Association canadienne des compagnies d'assurances de personnes inc. qui propose un Guide sur l'assurance maladie de voyage, en format PDF, à l'adresse suivante: www.clhia.ca.

Partir seul(e)

Veux-tu vivre heureux ?
Voyage avec deux sacs,
l'un pour donner,
l'autre pour recevoir.

– Johann WOFGANG VON GOETHE

Vous avez deux semaines de vacances devant vous, mais ni compagnon ni compagne avec qui les partager? Vous avez une occasion d'escapade, mais personne n'est disponible pour vous accompagner ? Vous souhaitez partir, mais êtes un peu perplexe face à la perspective de voyager seul(e) ? J'ai effectué plus de la moitié de mes voyages en solitaire. Ce furent les expériences les plus formatrices et les plus valorisantes que j'ai eu la chance de vivre ! Cela m'a permis d'apprendre de nouvelles langues, de rencontrer de très belles personnes de tous les âges et de tous les milieux et, surtout, de grandir en assurance et en confiance en moi.

Prendre la décision de partir seul(e), c'est oser plonger dans une aventure à la fois emballante et un peu angoissante. C'est non seulement partir à la recherche de soi-même, mais également se mettre en position de faire le plein de rencontres enrichissantes et de garnir en un rien de temps son carnet d'adresses de dizaines de nouveaux noms.

Statistiquement parlant, il semble que de plus en plus de gens de tous les âges et des deux sexes se permettent dorénavant le luxe suprême de partir quand ils le veulent, sans attendre d'être accompagnés. Et ils aiment ! Beaucoup même. L'amour de votre vie a pris la poudre d'escampette ou est trop occupé pour vous accompagner ? Qu'à cela ne tienne ! Nous sommes des milliers à voyager en solo chaque année.

En solo, mais pas tout à fait

Sur notre petite planète, on n'est jamais réellement seul. Où que vous alliez, d'autres gens y seront aussi.

Certains seront accompagnés, d'autres non. Vous voyant seul(e), certaines personnes qui n'auraient jamais osé vous aborder autrement pourraient fort bien vous inviter à partager leur table ou une partie de leur voyage. Fiez-vous à votre instinct et, si le cœur vous en dit, allez-y donc. Pour réussir un voyage en solitaire, il faut être sociable ! En fait, vous pourriez avoir tant de plaisir et faire tellement de rencontres captivantes que vous serez heureux(se) de vous retrouver seul(e) dans votre chambre le soir venu pour vous reposer, lire, réfléchir (et peut-être même commencer enfin ce livre que vous vous promettez d'écrire depuis tant d'années).

Se joindre à un groupe

Un voyage en solitaire n'a pas besoin de se transformer en austère quête initiatique, à moins que vous ne le souhaitiez. Pourquoi ne pas vous joindre à un groupe de personnes qui partagent vos intérêts ? Nombre de grossistes organisent des voyages regroupant, par exemple, des amateurs de sport. En ce domaine, le choix est vaste : plongée sous-marine en Australie, ski au Japon, yoga en Inde, randonnée pédestre dans les Alpes, escalade en Californie, *etc.* Renseignez-vous auprès d'un agent de voyages ou de votre association sportive préférée !

Envie d'apprendre une langue étrangère ? Les plus agréables villes universitaires de la planète n'attendent que vous ! Nombre d'entre elles offrent en effet des cours d'été à l'intention des adultes qui souhaitent concilier tourisme et nouveaux apprentissages. Encore là, le choix est vaste, vous pouvez apprendre l'espagnol à Cuernavaca, au Mexique, ou à Barcelone, en Espagne, l'italien à Florence, le portugais au Brésil ou l'anglais à Londres.

Vous préférez les arts ? Voyez si une école de danse de votre municipalité n'organise pas un voyage d'initiation au tango à Buenos Aires. À moins que votre classe d'art n'offre un stage de peinture en plein air en Provence ? Des ateliers de création littéraire sont régulièrement organisés à l'étranger par les Facultés des arts et lettres des universités.

En fait, les possibilités sont presque infinies et il est courant que les participants à ce type de stages soient des personnes seules. C'est en fait pour elles l'occasion de rencontrer des gens partageant leurs passions. Certaines amitiés fort solides se sont nouées sur ces bases. Foncez !

Les 12 commandements du voyageur solitaire

1. ***Une destination adaptée tu choisiras.***
   Que vous soyez une femme ou un homme, si vous manquez d'assurance ou que vous en êtes à votre premier voyage en solo, il pourrait s'avérer judicieux de choisir une destination qui ne vous place pas aux antipodes de votre zone de confort. Lancez-vous, faites-vous confiance, mais ne prenez jamais de risques quand il s'agit de votre sécurité et assurez-vous de loger dans un quartier sécuritaire.

2. ***Ton esprit et ton cœur tu ouvriras.***
   Il n'y a rien d'extravagant à vouloir voyager seul(e), mais encore faut-il démontrer suffisamment d'ouverture pour en profiter, dans les limites du bon sens. Faire preuve de curiosité et de générosité autant que de prudence est la clé d'un voyage réussi. Permettez-vous

d'aller vers les autres, de vous intéresser à eux et d'ouvrir la discussion. Vous pourriez être agréablement surpris(e).

3. ***Du strict nécessaire tes bagages tu rempliras.*** N'emportez jamais plus que ce que vous pouvez facilement porter. Quand on voyage seul(e), il n'est pas sage de vous encombrer volontairement de bagages difficiles à manier. D'autant plus que vous n'aurez personne pour les surveiller quand vous voudrez visiter les toilettes de l'aire d'attente de l'aéroport. Choisissez des vêtements multifonctionnels et relisez attentivement le chapitre 6 – *Faire ses bagages*.

4. ***De ton itinéraire un proche tu informeras.*** Remettez les détails de votre parcours ou de vos vacances à une personne de confiance et tenez-la au courant de vos déplacements et du moindre changement dans votre itinéraire. Indiquez les noms et adresses de vos lieux d'hébergement et donnez tous les renseignements concernant vos vols. Relisez aussi le chapitre 9 – *Éviter les mauvaises surprises*.

5. ***De discrétion tu feras preuve en tout temps.*** Homme ou femme, vous n'avez pas à divulguer à de parfaits inconnus les détails concernant votre lieu d'hébergement ou vos déplacements. Faites aussi attention à votre discours. Tout le monde n'a pas le même sens de l'humour et souvenez-vous de l'adage qui dit qu'on ne parle jamais de religion ou de politique avec de parfaits inconnus. Ne soyez pas outrageusement méfiant, mais ayez recours à votre bon sens. Il est souvent le meilleur des guides.

6. ***Sur les mœurs et les coutumes du pays que tu visites, avant le départ tu te renseigneras.*** Les sites touristiques du monde entier sont loin d'être similaires en matière de règles. Fondez-vous dans la foule et évitez d'attirer l'attention ou de choquer. Certains gestes anodins chez nous, comme une poignée de main ou un regard franc, peuvent être mal interprétés ailleurs, en particulier de la part d'une femme. En tout temps, la modestie est une valeur sûre. Non, ce n'est pas une bonne idée

de se baigner seins nus sur les plages de Tunisie, de songer entrer dans un temple sikh sans se déchausser et se couvrir la tête, ou d'enlever son t-shirt pour montrer son torse musclé au beau milieu d'un souk de Tripoli, même s'il fait 40 degrés... On s'entend qu'il vaut mieux en être informé AVANT d'arriver sur place, en particulier quand on est seul(e) de sa gang !

7. ***De la tombée de la nuit tu te méfieras. Le personnel de ton hôtel tu consulteras.***
   Avant de penser vous promener seul(e) dans un quartier inconnu une fois la nuit tombée, informez-vous auprès des employés de votre hôtel pour vous assurer que le voisinage est sûr. Dans le doute, demandez-leur de vous indiquer le moyen le plus sécuritaire de circuler ou de rentrer à l'hôtel après la soirée.

8. ***Monter en voiture avec de parfaits inconnus tu éviteras.***
   (Je parie que vous y auriez pensé vous-même à celui-là, hein ! Je le répète quand même puisqu'une personne avertie en vaut deux.)

De plus, si vous êtes une femme, évitez aussi de vous retrouver seule avec quelqu'un qui ne vous inspire pas confiance.

9. ***Ta boisson toi-même tu achèteras, et ton verre attentivement tu surveilleras.***
   On ne sait jamais à qui on a affaire et, sans vouloir vous faire peur, on a vu des touristes être drogués avant d'être volés ou violés. Encore une fois, je ne cherche pas à vous effrayer, mais plutôt à vous faire prendre conscience des comportements à risque.

10. ***Un cours d'autodéfense avant le départ tu envisageras.***
    Ça ne peut jamais nuire…

11. ***En cas de pépin, te mettre à hurler tu oseras.***
    Si vous vous sentez en danger, n'hésitez pas à utiliser TOUS les moyens à votre disposition pour attirer l'attention. À cet effet, une alarme de sécurité personnelle qui émet un son strident pourrait aussi s'avérer utile.

12. ***De ton audace et de ta confiance en toi tu profiteras.***
    Voyager seul(e), non seulement c'est s'offrir la liberté de mouvement, mais c'est avoir tous ses sens en éveil et se faire le cadeau d'apprendre à mieux se connaître et de grandir intérieurement.

Il ne me reste plus qu'à vous souhaiter un bon voyage ! Pour peu que vous le décidiez, je vous promets du plaisir à profusion, des souvenirs inoubliables à rapporter, des histoires passionnantes à raconter et une piqure dont vous ne voudrez plus vous passer.

Quelle sera votre prochaine destination ?

Annexes

Sites internet proposés

Chapitre 1 - Choisir sa destination

- *www.compagniesaeriennes.com*
- *www.flightradar24.com*
- *fr.flightaware.com*
- *www.planetoscope.com/Avion/109-nombre-de-vols-d-avions-dans-le-monde.html*

Chapitre 2 - Réserver son vol

- *www.google.ca/flights*
- *www.flyplattsburgh.com/Francais*
- *www.btv.aero/index.php/welcome-canadians*
- *www.aci.aero*

Chapitre 3 - Se loger

- *www.tripadvisor.ca*
- *hotels.com*
- *expedia.ca*
- *trivago.com*
- *aubergejeunesse.net*
- *fr.airbnb.ca*
- *www.couchsurfing.com*

Chapitre 4 - Échanger son chez-soi

- www.antre-amis.com
- www.trocmaison.com
- www.bovile.com
- www.geenee.com

Chapitre 5 - Préserver sa santé

- voyage.gc.ca/voyager/sante-securite

Chapitre 7 - Emmener ses enfants

- voyage.gc.ca/voyager/enfant/lettre-de-consentement

Chapitre 8 - Gérer ses papiers

- www.passeport.gc.ca
- voyage.gc.ca/voyager/avertissements
- voyage.gc.ca/voyager/documents/nexus
- caaquebec.com

Chapitre 9 - Éviter les mauvaises surprises

- voyage.gc.ca
- voyage.gc.ca/voyager/avertissements
- www.clhia.ca

POUR EN SAVOIR PLUS

La rédaction de cet ouvrage m'a emmenée à visiter de nombreux blogues traitant de voyage, tous plus intéressants les uns que les autres.

Voici la liste de mes coups de cœur.
Je vous invite à les consulter sans modération:
http://www.taxibrousse.ca
http://lisegiguere.wordpress.com
http://nathaliedegrandmont.com
http://fredericgonzalo.com/fr

Liste des pays, des villes et des sites que je veux voir un jour

Itinéraire de mon prochain voyage		
Jour	Départ de	Destination

Liste des activités que je veux faire

Liste des papiers et documents à photocopier et à emporter	✓

Liste des vêtements et accessoires à emporter	✓

NOTES

Béliveau Éditeur vous propose deux récits de voyage «hors du commun»

« Lorsque l'avion a posé ses roues sur le tarmac de l'aéroport de Douala, mon cœur a failli s'arrêter. J'allais fouler le sol de l'Afrique à un âge où la langueur de la retraite aurait dû me retrouver assis en douce rêverie. Pourtant, j'entreprenais un séjour de neuf semaines, dans un petit patelin, en accompagnant des stagiaires.

Durant ce séjour, je serai bousculé dans mes valeurs et dans mon mode de vie nord-américain...

Depuis mon retour, j'ai le sentiment qu'une partie de moi est devenue *africaine*. Il est maintenant impossible de sortir l'Afrique de moi... »

– JEAN CHAPLEAU

Suivez les aventures d'un couple de Québécois et leurs deux enfants à Cuernavaca, une ancienne ville coloniale au sud de Mexico. Pendant deux ans, ils y ont vécu des situations parfois cocasses, parfois formatrices, lesquelles vous feront rire et même réfléchir...

Vous ne verrez plus le Mexique de la même manière !

– ROBERT BROWN